BARTI SMARTI

a

straeon a cherddi eraill

gan

Caryl Parry Jones

lluniau gan Helen Flook

Gomer

I
Cai Rhys, Jos, Cai Phillips, Wil, Jacob, Nel, Cesia, Alys, Owen, Manon
C, Mari, Gwenan, Manon G, Anni, Efan, Gruffydd Wyn . . .
ac wrth gwrs Elan, Miriam, Moc a Greta gyda chariad mawr x

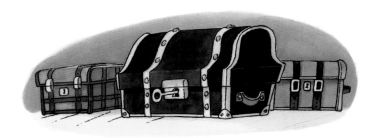

Cyhoeddwyd yn 2008 gan Wasg Gomer, Llandysul, Ceredigion SA44 4JL
www.gomer.co.uk

ISBN 978 1 84323 929 1

Dymuna'r cyhoeddwyr gydnabod cymorth Cyngor Llyfrau Cymru.

Argraffwyd a rhwymwyd yng Nghymru gan
Wasg Gomer, Llandysul, Ceredigion SA44 4JL

Cynnwys

Barti Smarti

Un tro, ganrifoedd yn ôl, roedd môr-leidr enwog yn byw yn Llangrannog. Ei enw oedd Barti Smarti ac yn ôl y sôn fo oedd y môr-leidr casaf, mwyaf ffyrnig a brawychus welodd y byd erioed. Roedd pawb yn crynu yn eu sgidiau wrth glywed yr holl straeon amdano ac roedd pawb yn ofni'r diwrnod y byddai Barti a'i griw yn glanio ar eu traethau gan ddwyn holl drysorau'r fro a mynd â nhw yn bell, bell i ffwrdd yn ei long enfawr.

Ond y gwir amdani oedd nad oedd Barti'n hoffi bod yn gas o gwbl. Roedd o wedi gorfod cael gwersi bod yn gas pan oedd o'n fôr-leidr bach ond doedd o ddim yn eu hoffi. Roedd yn gas gan Barti fod yn gas. Roedd yn llawer gwell gan Barti Smarti eistedd ar y traeth yn bwyta brechdanau banana a chwarae ychydig bach o rygbi gyda chnau coco. Ac roedd rhywbeth arall yn poeni Barti Smarti. Er ei fod o'n fôr-leidr, doedd o erioed wedi dod o hyd i drysor yn ei fywyd. Roedd o wedi dweud wrth bawb ei fod o wedi dod o hyd i gannoedd o gistiau'n llawn aur a diamwntiau a thlysau o bob math . . . ond doedd o ddim. Ac wrth i'r blynyddoedd fynd yn eu blaenau roedd o'n ofni y byddai pawb yn dod i wybod am hyn ac y byddai'n rhaid iddo roi'r gorau i fod yn fôr-leidr a mynd i weithio yn y Maes Parcio yn Aberteifi . . . yn glanhau'r tai bach. Achos, er nad oedd o'n hoffi bod yn gas, roedd o'n hoffi bywyd môr-leidr – yn hwylio'r moroedd a bolaheulo ar draethau gorau'r byd.

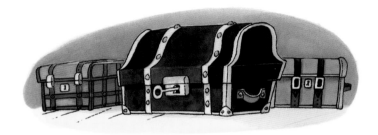

Un diwrnod, tra oedd o'n adeiladu castell tywod ar y traeth yn Mwnt fe welodd rywbeth rhyfedd yn dod tuag ato. Edrychodd yn fwy manwl a gwelodd mai cranc bach pinc oedd yna, yn cario darn o bapur yn ei grafanc. Cymerodd y darn papur oddi ar y

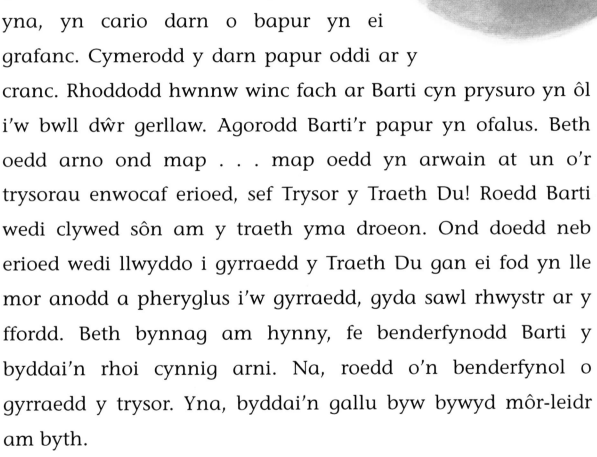

cranc. Rhoddodd hwnnw winc fach ar Barti cyn prysuro yn ôl i'w bwll dŵr gerllaw. Agorodd Barti'r papur yn ofalus. Beth oedd arno ond map . . . map oedd yn arwain at un o'r trysorau enwocaf erioed, sef Trysor y Traeth Du! Roedd Barti wedi clywed sôn am y traeth yma droeon. Ond doedd neb erioed wedi llwyddo i gyrraedd y Traeth Du gan ei fod yn lle mor anodd a pheryglus i'w gyrraedd, gyda sawl rhwystr ar y ffordd. Beth bynnag am hynny, fe benderfynodd Barti y byddai'n rhoi cynnig arni. Na, roedd o'n benderfynol o gyrraedd y trysor. Yna, byddai'n gallu byw bywyd môr-leidr am byth.

Ar unwaith, galwodd ei hoff fôr-ladron bach ynghyd ac i ffwrdd â nhw i chwilio am Drysor y Traeth Du. Roedd rhaid iddyn nhw ddringo Mynydd y Mochyn – y mynydd mwyaf mwdlyd a mochynnaidd a welwyd erioed. Roedd golwg

ofnadwy ar y môr-ladron i gyd ar ôl hynny. Roedden nhw'n fwd ac yn llacs at eu crwyn.

Edrychodd Barti ar y map eto a dychryn pan welodd fod rhaid iddyn nhw redeg drwy'r Cae Cnotiog – cae mawr oedd yn llawn rhwystrau peryg. Ond, rywsut, fe lwyddodd y criw i groesi'r cae gan rwygo dim ond eu sanau. A jest fel roedd Barti'n meddwl fod y Traeth Du'n nesáu, dechreuodd grynu yn ei sgidiau gan fod y map yn dangos y byddai'n rhaid iddyn nhw groesi'r Afon Afiach a'r Môr Marwol hefyd cyn cyrraedd. Doedd na'm llawer o bobl wedi gallu gwneud hynny a chyrraedd y pen arall yn un darn. Byddai'n rhaid iddyn nhw osgoi'r crocodeils a'r tywod suddo yn yr Afon Afiach ac, wrth gwrs, doedd neb yn saff rhag Sianco'r Siarc mwyaf peryglus yn y byd, oedd yn nofio'r Môr Marwol. Ond yn ffodus, roedd y crocodeils a Sianco wedi mynd ar drip i Aberystwyth y diwrnod hwnnw, ac roedd 'na hen gasgen wedi mynd yn sownd yn y tywod suddo, felly fe ddringodd Barti a'r criw drosti yn weddol ddidrafferth.

Yna, yn sydyn, dyma Barti Smarti yn gweld yr arwydd – Y Traeth Du. Ac yn wir, yn lle

tywod melyn roedd yna dywod du i'w weld ym mhobman. Ac yn lle awyr las roedd awyr ddu. Ac yn lle gwylanod roedd brain mawr hyll ym mhobman. Roedd ofn ar Barti Smarti a'r criw. Ond, roedd Barti am fod yn arweinydd da ac am i bawb feddwl ei fod yn ddewr. Felly, doedd dim amdani ond mentro i'r traeth a dilyn y map . . . oedd ychydig bach yn anodd, achos roedd popeth yn ddu a doedd o ddim yn gallu gweld yn iawn!

Ond wrth i Barti Smarti'r môr-leidr dewr gamu ar y Traeth Du, yn sydyn, dyma'r map yn goleuo. Doedd neb wedi sylweddoli tan hynny ei fod o'n fap hud. Teimlodd Barti'r map

yn ei dynnu a'i dynnu a'i dynnu nes iddo gyrraedd arwydd arall. Roedd yr arwydd yma'n dweud 'TRYSOR' ac yn sownd wrtho roedd darn o hen bapur a rhigwm arno. 'Cliw!' meddyliodd Barti wrth ei hun. Ond buan y sylweddolodd fod angen help arno i'w ddatrys. Darllenodd y cliw'n uchel i weddill y criw:

Tyrd yn nes o Barti Bach
Os wyt ti eisiau bywyd iach

Symudodd Barti yn araf tuag at yr arwydd ac fel roedd o'n agosáu ato, sylwodd fod yr arwydd pren yn mynd yn fwy ac yn fwy ac yn hirach ac yn hirach. Edrychodd ar y cliw eto . . . ond gwelodd y llythrennau'n newid o flaen ei lygaid. Wedi iddo ysgwyd ei ben a phinsio'i hun (oedd yn brifo ond werth o i neud yn siŵr nad oedd o'n mynd yn hollol boncyrs!), ailddarllenodd y cliw yn uchel. A dyma roedd o'n ei ddweud:

Gafael yn yr arwydd pren
Ac fe gei reid reit fry i'r nen!

Hm. 'Wi'm yn siŵr a ydw i'n barod i fynd i'r nen 'to, os taw dyna be ti'n feddwl. Ai dyna beth *wyt* ti'n 'i feddwl?' meddai wrth y darn papur (gan binsio'i hun unwaith eto, achos doedd o rioed wedi cael sgwrs hefo darn o bapur o'r blaen, 'dach chi'n gweld). Ond, er mawr sioc i Barti, dyma'r llythrennau'n newid eto . . . AC YN ATEB BARTI!

Ddim dyna beth sy nawr dan sylw,
Paid becso Barti, ti'm am farw,
Jest cydia yn y polyn hir
A ti fydd bachan hapusa'r tir...a'r môr hefyd.
Sori nag yw hwnna'n odli,
On sai'n un da iawn am farddoni!

'Popeth yn iawn,' meddai Barti wrth y darn papur, a derbyn fod hon yn sefyllfa annaturiol. Ac o dderbyn hynny, meddyliodd man a man iddo gydio yn y polyn i weld be ddigwyddai.

Cyn gynted ag y cyffyrddodd ynddo fe gododd y polyn yn araf, araf a mynd yn uwch ac yn uwch, gyda Barti'n hongian oddi arno gan edrych i lawr ar ei ffrindiau, oedd yn sefyll yno'n gegagored. Ew, roedd o'n deimlad braf, meddyliodd Barti, ac roedd yr olygfa yn hollol fendiged . . . HEI! AM FUNUD BACH! Ddau funud 'nôl, doedd Barti ddim yn gallu gweld dim byd. Dim ond düwch. Ond nawr, roedd o'n gallu gweld am filltiroedd – awyr las, môr fel crisial, coed palmwydd yn y pellter yn suo yn yr awel gynnes. Ac yn araf bach dyma Barti'n sylweddoli ei fod ar long. Edrychodd i lawr eto ac roedd gwên lydan ar wynebau bob un o'i ffrindiau, oedd yn bwyta gwledd ragorol ac yn canu caneuon hapus. Roedd Barti yn y gawell fach ar dop y mast ac uwch ei ben roedd 'na faner felen ac arni streips coch a glas . . . nid un ddu ac arni benglog ac esgyrn fel roedd Barti wedi arfer ei gweld. Trodd yn ôl at y mast a gweld llythrennau'r cliw yn newid eto. Ac wrth iddo ddarllen y cliw, disgynnodd y gawell yn araf i lawr y mast a lledodd gwên anferth ar draws wyneb Barti. Dyma eiriau'r cliw:

Fe est ti i'r Traeth Du'n ddewr fy ffrind,
A fyddai pawb ddim wedi mynd,
A chan dy fod wedi profi'th hun,
Mae'th wobr di yn well na'r un.

Cei hwylio'r moroedd fel y mynni,
Ond nid fel môr-leidr, Barti Smarti,
Cei roi'r gorffennol heibio nawr
A theithio'r byd a'r moroedd mawr:

Roedd Barti wrth ei fodd! Dim rhagor o esgus bod yn gas, dim ond mwynhau. Roedd yn rhaid dathlu. A dyna a wnaeth gyda gweddill ei ffrindiau mewn un parti mawr a hyd heddiw mae Barti Smarti'n dal i hwylio'r moroedd ac yn bolaheulo ar draethau gorau'r byd.

Antur Cai

Un noson braf o haf aeth bachgen bach o'r enw Cai i'w lofft ac i'r gwely. Roedd wedi cael diwrnod hir a phrysur ond llawn sbort hefyd. Y diwrnod hwnnw, roedd wedi bod am dro i'r goedwig gyda'i fam a Jac y ci ac wedi casglu pob math o bethau ar y ffordd – dail, moch coed, brigau, ambell flodyn – ac wedi gweld llawer o adar ac anifeiliaid gwyllt. Roedd Cai yn dwlu ar chwarae yn yr heulwen a'r awyr iach. Meddyliodd pa mor braf fydde hi petai'n gallu byw yn yr awyr iach yng nghanol byd natur drwy'r amser.

Roedd gwely Cai ar bwys y ffenest. Edrychodd allan i'r noson glir a gwelodd filoedd o sêr bach arian yn wincio arno a chlamp o leuad lawn yn gwenu'n braf. Yn sydyn, dyma un o'r sêr yn dechrau symud. Daeth yn nes ac yn nes at Cai cyn glanio ar sìl y ffenest. Er syndod iddo, cnociodd y seren fach ar y ffenest a gallai Cai ei chlywed hi'n galw mewn llais bach gwichlyd,

'Agor y ffenest, Cai! Ma' 'da fi rywbeth i' weud 'tho ti!'

Yn ofalus iawn, fe gododd Cai ac agor y ffenest yn ddistaw bach.

'Hwrê!' meddai'r seren. 'Diolch am wneud 'ny! Shwd wyt ti, Cai? Swyn yw f'enw i.'

'Ym, helô Swyn,' meddai Cai'n ofalus – wedi'r cyfan, doedd e rioed wedi siarad â seren o'r blaen . . . dim ond gyda merch o'r enw Seren oedd yn ei ddosbarth e, a do'dd hi ddim yn edrych fel seren o gwbl. Roedd hi'n dal â gwallt du, a smotyn bach brown reit yng nghanol ei thalcen . . . o, a sbectol hefyd.

'Rwy'n gwbod fod hyn yn sioc i ti, Cai, ond fi yw dy seren di. 'Na grêt, ife?'

'Ym . . . ie . . . grêt,' cytunodd Cai (oedd, rhyngoch chi a fi, yn dal i fethu deall cweit beth oedd yn digwydd).

'Reit, glywes i ti'n meddwl gynne fach, pan o'n i'n pasio, pa mor braf fydde hi i gysgu dan y sêr.'

'Glywest ti fi'n *meddwl*?' holodd Cai yn ddryslyd.

'Do, do, 'na beth y'n ni'n neud, ti'n gweld, ac os y'n ni'n digwydd pasio pan y'ch chi lawr fan hyn yn meddwl, ma'ch dymuniad yn dod yn wir! Felly, dere glou, neu fe fydd hi'n fore!'

Dringodd Cai allan drwy'r ffenest (diolch byth, roedd yn byw mewn byngalo!) a dilynodd Swyn y seren i'r goedwig.

17

Yn sydyn, gwelodd Cai lecyn hyfryd rhwng dwy goeden. Roedd tân bach gloyw yn cynhesu'r nos, a llond padell o selsig yn ffrwtian ar ei ben. Roedd blanced feddal a chlustogau swmpus o amgylch y tân hefyd, yn gwahodd Cai i suddo iddyn nhw. Eisteddodd Swyn wrth ei ymyl a dechreuodd y sêr eraill yn y nen wincio arno unwaith eto.

'Ma' hyn yn wyyyyych!' meddai Cai wrth estyn yn awchus am selsigen frown flasus.

'O odi, ma' hyn yn hyfryd. Croeso aton ni, Cai,' meddai llais bach wrth ei ymyl.

Trodd Cai a gweld y gwningen fach berta welodd e rioed yn gwenu arno ac yn dawnsio o'i amgylch.

'Hei, dewch ffrindie, mae Cai wedi dod i'n gweld ni!'

O'r cysgodion, herciodd draenog bach pigog tuag at Cai.

'Helô Cai! Dwi mor falch bo' ti 'di cael dy ddymuniad. Cwtsh di o flaen y tân 'da ni nawr a gei di'r noson orau o gwsg gest ti rioed!'

Fel roedd Cai yn tynnu un o'r blancedi drosto, plymiodd tylluan o un o'r coed a glanio ar ei ysgwydd. Cafodd Cai dipyn o sioc, er mai chwerthin am ei ben yr oedd Swyn. 'Ha ha ha! Gest ti ofan nawr, on'd do fe?'

'Wel do siŵr,' meddai Cai. 'Do'n i ddim yn dishgwl hwnna! Do'n i ddim yn dishgwl *unrhyw beth* fel hyn!'

'Ma'n ddrwg gen i os wnes i godi ofn arnat ti, Cai bach,' hwtiodd y dylluan, 'ond dwi mor falch o dy weld di. Fe gadwn ni i gyd gwmni i ti drwy'r nos.'

Wel, roedd Cai ar ben ei ddigon. Am noson wirioneddol hudolus, meddyliodd – cysgu o dan y sêr ar noson o haf gyda llu o ffrindiau newydd. Fe fuon nhw'n canu, yn dawnsio, yn bwyta ac yn dweud straeon wrth ei gilydd am oriau, nes yn y diwedd fe gwtsiodd pawb lan a mynd i gysgu'n sownd.

Deffrodd Cai wrth i'r haul dywynnu o'i amgylch. Roedd e wedi cael noson berffaith o gwsg ac roedd gwên lydan ar ei wyneb. Ond wrth iddo agor ei lygaid yn iawn ac edrych o'i gwmpas, doedd dim sôn am y gwningen, y draenog, y dylluan na Swyn y seren. A doedd e ddim yn cysgu ar y blancedi esmwyth, a doedd dim golwg o dân na selsig yn unman! Roedd yn ei ystafell wely ac roedd ei ffenest wedi cau'n glep. Sylweddolodd Cai yn araf bach mai breuddwydio wnaeth e ac eto, roedd e wedi treulio un o nosweithiau gorau ei fywyd neithiwr o dan y sêr gyda'i ffrindiau newydd . . .

Ond pan roddodd ei law yn nhrowsus ei byjamas, teimlodd rywbeth yn ei bigo a phan edrychodd, gwelodd bluen tylluan, pigyn draenog a blewyn cwningen.

Oedd, roedd hi wedi bod yn noson braf a rhyfeddol.

Anni'r Dylwythen Deg Bert

Un tro, roedd 'na dylwythen deg fach bert o'r enw Anni yn byw gyda'i mam a'i thad mewn blodyn mawr pinc yng ngardd Mr a Mrs Davies. Roedd Anni'n dylwythen dda ac yn gweithio'n galed bob dydd yn casglu llwch hud. Mi fyddai hi'n mynd gyda'i brwsh ac yn sgubo pob blodyn, pob deilen, pob carreg, pob pluen, pob coeden, pob cragen, pob dim oedd yn yr ardd, er mwyn cael digon o lwch hud i'w wasgaru dros bob dim.

'Dach chi'n gweld, llwch hud sy'n gwneud bwyd yn flasus, lliwiau yn llachar, miwsig yn hyfryd, ffrindiau yn garedig, yn gwneud popeth yn bert, ac yn fwy pwysig na dim, llwch hud sy'n rhoi gwên ar wynebau ac yn gwneud pawb yn hapus.

Doedd Anni byth yn cwyno am ei gwaith ac roedd ei mam a'i thad yn falch iawn ohoni. Ond, ambell waith, mi fyddai hi'n dyheu am gael gwneud rhywbeth ychydig bach yn wahanol. Roedd hi eisiau bod fel ei thad. Roedd o'n bwysig iawn ym myd y Tylwyth Teg, yn un o'r rhai pwysicaf a dweud y gwir. Fo oedd pennaeth Tylwyth Teg y Dannedd!

'Dadi, plîs gaf i fod yn un o Dylwyth Teg y Dannedd?' gofynnodd Anni iddo. 'Mae'n swnio mor gyffrous! Hedfan i stafell wely rhyw blentyn, codi'r glustog, mynd â'r dant a rhoi darn o arian gloyw yn ei le . . . ac O! aros tu ôl i'r cyrtens i weld eu hwynebe'n goleuo yn y bore!'

'Wel rŵan 'ta, Anni fach,' dywedai ei thad. 'Mae'n rhaid i ti gofio bod y dannedd 'ma'n drwm i dylwythen fach fel ti, heb sôn am yr arian. Ac mae'n rhaid bod yn ofalus iawn wrth ddod â'r dannedd yn ôl. Mae'n rhaid i ni eu cael nhw'n 'nôl yn un darn er mwyn i ni eu sgrwbio nhw'n lân ar gyfer yr holl fabis sydd angen eu dannedd cyntaf. Fedrwn ni ddim gwastraffu dannedd. Ma' 'na lot o fabis allan yn fanna, ti'n gwbod, ac mae'n bwysig ail-gylchu!'

'Dwi'n gwbod,' meddai Anni, 'ond dwi'n bwyta bwyd da ac yn ymarfer bob dydd wrth gasglu'r llwch hud er mwyn i fi fod yn gryf . . .'

'Anni fach, ma'r holl dylwyth teg sy gen i yn hedfan o gwmpas drwy'r dydd yn chwilio am ddannedd rhydd. Mi wyt ti'n llawer rhy brysur yn sgubo i fynd i neud hynna. Os ddoi di o hyd i ddant rhydd rywbryd, wel, gawn ni weld be ddigwyddith. Ond mae gen ti joban i'w gwneud ac mi wyt ti dal yn rhy . . . wel . . . fach.'

Ac i ffwrdd yr âi Anni â'i phen yn ei phlu gan gasglu'r llwch hud i'w wasgaru ar bawb a phopeth i'w gwneud yn hapus . . . pawb ond hi.

Un prynhawn cynnes, fel roedd yr haul yn machlud ac Anni'n sgubo'r llwch oddi ar rosyn mawr melyn, fe welodd hi Efan, mab Mr a Mrs Davies oedd bia'r ardd, yn chwarae ar ei feic. Ew, mi oedd Efan yn cael hwyl yn reidio o gwmpas yr ardd ond, a bod yn onest, doedd o ddim yn bod yn rhy ofalus. Yn sydyn, fe syrthiodd Efan oddi ar ei feic yn glep ar lawr. Dechreuodd grio a gweiddi am ei fam.

'Mami, dwi 'di syrthio a 'di brifo 'ngheg!'

Daeth ei fam allan o'r tŷ i gysuro Efan. Yna, clywodd Anni hi'n dweud:

'O! Efan druan. Mi w't ti 'di cael cnoc go iawn . . . a rŵan ma' dy ddant di'n rhydd. Ti'n meddwl elli di ei siglo fo nes bod o'n dod allan?'

A dyna wnaeth Efan nes bod y dant yn disgyn i'w law.

'Da iawn ti,' dywedodd ei fam. 'Ti'n gwbod be i' neud, yn dwyt?'

Rhedodd Efan i mewn i'r tŷ ac fel fflach fe hedfanodd Anni ar ei ôl. Arhosodd yn dawel y tu ôl i'r cyrtens nes bod Efan yn mynd i'w wely. Fe'i gwelodd o'n rhoi'r dant dan y glustog ac mewn chwinciad roedd o'n cysgu'n sownd.

Hedfanodd Anni at ei glustog a'i chodi. W, roedd y dant yn edrych yn fawr. Ond, gyda'i holl nerth, fe gododd hi'r dant a'i roi ar ei chefn . . . yna, cofiodd! Doedd ganddi hi ddim arian. Dim byd i'w adael i Efan o gwbl. Beth oedd hi'n mynd i'w wneud?

Rhoddodd ei llaw yn ei phoced a theimlo'r llwch hud yn rhedeg drwy ei bysedd . . . Ac yna fe welodd ddarn o arian plastig ar y llawr.

'Sgwn i . . ?' meddai wrthi ei hun.

Yn ofalus iawn aeth at y darn plastig a gwasgaru llwch hud arno. Ac fe newidiodd yn syth i'r darn arian mwyaf gloyw fu erioed.

Ond, sut oedd hi'n mynd i gario'r darn arian at y glustog a chario'r dant ar ei chefn?

'O diar, roedd Dad yn iawn. Dwi'n rhy fach a dwi'm yn barod ar gyfer joban mor bwysig â hyn. Fe ddylwn i fod wedi gwrando. Bydd Efan mor siomedig os na fydd ei arian yna yn y bore.'

Ar hynny clywodd bâr o adenydd yn hedfan i mewn drwy'r ffenest.

'Anni?'

'Dad?'

'Anni, dyma lle rwyt ti! 'Dan ni 'di bod yn poeni amdanat ti a methu dod o hyd i ti . . . Yna mi glywson ni fod Efan Davies wedi colli ei ddant ond bod rhywun wedi mynd â fo o dan ei glustog!'

'O! Dadi, mae'n ddrwg gen i. Dwi 'di gwneud smonach.'

'Wel do . . . ond chwarae teg i ti am gyfaddef. Mi gei di fod yn Dylwythen Deg Dannedd un diwrnod, dwi'n addo. Ti'n un o'r gweithwyr gorau ym myd y Tylwyth Teg. Ond am y tro, dal di ati i roi gwên ar wynebau pawb, 'mechan i.'

Fe gariodd tad Anni yr arian a'i roi'n saff o

dan glustog Efan ac fe gymerodd y dant oddi ar gefn Anni. Yna fe aeth y ddau i eistedd yn dawel y tu ôl i'r cyrtens a chwtsio yno tan y bore. Fel roedd Efan yn deffro, hedfanodd Anni i lawr a gwasgaru ychydig o lwch hud ar ei ben ac fe wenodd Efan y wên fwyaf hapus a di-ddannedd erioed, a gwenu mwy pan welodd ddarn gloyw o arian dan ei glustog.

Aeth Anni a'i thad 'nôl adref yn hapus.

Bydd Anni'n casglu dannedd ar ôl ei phen-blwydd nesaf ond tan hynny, y tro nesa welwch chi flodyn pert neu y clywch chi fiwsig hyfryd neu flasu bwyd gwych neu y gwelwch chi wên fawr ar wyneb rhywun, cofiwch nad ydi Anni fach y Dylwythen Deg ddim yn bell.

Osi'r Octopws

Roedd Osi yr Octopws hapus
Yn chwarae yn braf un dydd Iau,
Gyda Gwydion y Gypi bach oren
A'i frawd Guto, oedd ychydig yn llai.

Daeth Meirion y Morfarch 'na hefyd,
A Meical, y morfil mawr du,
A Carwyn a Ceri y crancod
A'r slefren fôr Sali am sbri.

A dyma nhw'n chware pêl foli
Gyda pherlau a roddwyd yn hael
Gan Esther y wystrys bach bodlon
Oedd yn agor a chau am yn ail.

30

Ond tra oedd y gêm yn ei hanterth
Fe rewodd 'rhen Osi i'r fan
Pan welodd o rywun yn pasio –
A'th ei galon fach chydig yn wan.

Fe welodd Angharad yr Angel
Yn igam-ogamu yn ffri,
A rhaid oedd i Osi ei dilyn –
Hi oedd pysgodyn brydfertha'r lli.

Roedd Osi yn gwybod yn sicr
Na fyddai Angharad mewn oes
Yn edrych ddwy waith ar greadur
Oedd 'mond yn ben ar ben wyth coes.

Fe ddilynodd Angharad am hydoedd
Drwy bob craig a phob ogof a hollt,
Ond yn sydyn fe sylweddolodd
Fod Angharad ac yntau ar goll!

Dechreuodd Angharad grio,

A phryderodd 'rhen Osi, O do!

A fyddai'r pysgodyn bach pryferth

Yn ofni o weld peth fatha fo?

Ond yna fe ddaeth o'r cysgodion

Anghenfil a'i llanwodd â braw,

Gyda dannedd mor finiog â chyllyll

A llygaid mileinig ar y naw.

Fe sleifiodd tu ôl i Angharad

Yn barod i adael ei farc,

Hwn oedd creadur creulonaf y moroedd,

Yr enwog Shadrach y Siarc!

Agorodd ei geg yn llydan

Yn barod i'w llyncu mewn un,

Nes i lais y tu mewn i Osi

Ddweud, 'Tyrd, wyt ti'n llgodan neu'n ddyn?'

'Wel 'run o'r ddau,' meddai Osi,

'Dim ond octopws bychan ydw i,

Ond mae'n rhaid imi gael nerth o rywle,

Mae'n rhaid i mi 'i hachub hi!'

Ac yna, yn sydyn o nunlle,

Daeth miloedd o swigod i'r fan

Ac anelu yn syth at Osi

Oedd â'i galon dal 'chydig yn wan!

Ond roedd rhain yn swigod hudol

Anfonwyd gan arwyr y dŵr,

Sef Harri a'i ffrindiau arbennig

Oedd am helpu Osi yn siŵr.

Roedd cryfder a nerth yn y swigod

Ac wrth i bob un ddod yn nes

A bostio ar ben Osi bychan

Fe lanwodd ei galon â gwres.

Fe chwyddodd ei goesau yn anferth
Roedd cyhyrau yn tyfu 'mhob man,
Ac yn awr yr oedd Osi yn gwlffyn
A'r peth dwetha yr oedd o oedd gwan.

Fe giciodd y Siarc yn ei ddannedd
Nes bod rheiny'n gwasgaru drwy'r dŵr,
Mi gath gic dan ei ên o wedyn,
Un galed, jest i neud yn siŵr.

Roedd Shadrach y Siarc yn gweld sêr erbyn hyn,
Ac yn crio mewn poen ar y llawr,
Ac fe nofiodd Angharad at Osi yn syth,
Y fo oedd ei harwr yn awr.

A bellach mae Osi a'i angel
A'u ffrindiau i gyd wrth eu bodd
Yng nghanol eu swigod hapusrwydd
Filltiroedd o dan y môr.

Caradog y Cranc

On'd yw crancod yn bethau od, dwedwch? Ydych chi wedi eu gweld nhw ar y traeth? Maen nhw'n amrywio o ran maint, ond yn gyffredinol beth gewch chi yw cragen reit fflat, wyth coes fregus a phrennaidd yr olwg, dau lygad . . . a dyna ni. Beth sydd hefyd yn od amdanyn nhw ydi eu bod nhw'n cerdded wysg eu hochr. Byth ymlaen, byth 'nôl, dim ond i'r ochr. Ie, od ar y naw. Wedi dweud hynny, mae'n ffaith enwog ein bod *ni'n* edrych fel creaduriaid od i'r crancod. Hen bethau mawr tal, dwy goes, dwy goes arall yn uwch ar y

corff, rhyw belen fawr flewog ar ben y cyfan ac arni ddau lygad, rhyw driongl rhyfedd yn ei chanol a thwll ar y gwaelod sy'n cau ac yn agor ac sydd â'r gallu i greu sŵn digon aflafar. O ie, a 'dan ni fel arfer yn cerdded ymlaen, a weithiau yn ôl ac ambell waith i'r ochr . . . ond fel arfer, ymlaen. Ydyn, mi rydyn ni'n bethau reit od hefyd, mae'n siŵr.

Ond ar Draeth y Ffridd, mewn pwll yng nghysgod craig fach, roedd 'na bentref bach o grancod. Pwll Bach oedd enw'r pentref ac yno y trigai teuluoedd hapus o grancod a fyddai'n rhedeg (wysg eu hochr, wrth gwrs) ar hyd y traeth, yn chwarae mig rhwng y creigiau ac yn mwynhau eu hunain wrth nofio yn y pwll dŵr a thorheulo ar y graig. Yr unig beth oedd yn tarfu ar eu bywydau perffaith oedd Wendi'r Wylan. Hen

gnawes oedd hon. Mi fyddai'r crancod bach yn gallu clywed ei sgrech o bell ac roedden nhw'n gwybod fod hynny'n arwydd iddyn nhw guddio'n reit sydyn o dan garreg, craig, bwced, cragen, neu unrhyw beth oedd wrth law – hyd yn oed damaid o frechdan roedd Dyn wedi'i adael ar ei ôl ar ôl picnic. Os oedd Wendi ar hyd y lle, roedd ofn ar bob un o'r crancod, mawr a mân. Mi fyddai hi'n hofran uwchben y pwll dŵr ac os gwelai hi'r symudiad lleiaf neu unrhyw awgrym o gragen neu goes, mi fyddai hi'n plymio fel saeth o'r awyr ac yn ymosod ar y cranc er mwyn cael rhywbeth i de. Oedd, mi roedd Pwll Bach wedi colli sawl un o'i drigolion i grafangau Wendi'r Wylan.

Ond, ar y cyfan, pan *nad* oedd Wendi o gwmpas, roedd y crancod i gyd yn hapus. Dwi'n dweud 'y crancod i gyd' ond mi roedd 'na un oedd ychydig yn dristach na'r gweddill. Caradog oedd enw hwnnw ac mi roedd o'n drist am fod gweddill y crancod yn gwneud hwyl am ei ben yn dragywydd. Roedd Caradog, 'dach chi'n gweld, rhyw fymryn bach yn wahanol i'r crancod eraill. Doedd ganddo fo mo'r help ac er iddo drio sawl gwaith, methu wnaeth o bob tro â bod fel y lleill. Y broblem oedd hon: doedd Caradog ddim yn gallu cerdded wysg ei ochr, dim ond ymlaen . . . ac weithiau yn ôl, ond *byth* i'r ochr. Ers pan oedd o'n granc bach, roedd cerdded i'r ochr yn amhosibl iddo. Roedd ei fam a'i dad wedi trio popeth i'w gael i gerdded yn iawn, ond doedd dim byd wedi gweithio. Fe aeth am wersi, cafodd esgidiau arbennig i'w gwisgo, fe gafodd o sbectol unwaith, cofiwch, rhag ofn nad oedd ei lygaid yn gallu gweld i'r ochr yn ddigon da. Ond doedd dim yw dim yn gweithio.

Roedd y crancod eraill i gyd yn gallu bod ychydig yn greulon gyda Caradog. Roedden nhw'n ei bryfocio ac yn tynnu ei goes drwy'r amser. Fe gyfansoddon nhw bennill hyd yn oed, i'w adrodd bob tro y byddai Caradog yn nesáu ac weithiau bydden nhw'n canu 'Cerddwn Ymlaen' gan Dafydd Iwan (cân mae pob cranc yn byd yn ei hystyried yn wallgo', gyda llaw!):

Mhwll Bach, fyddai'r un cranc ar ôl yn y pentref. Yn ddistaw bach, symudodd Caradog ymlaen ac yn nes at Wendi. Sylwodd y crancod eraill yn araf bach fod cysgod anferth, rhyw gwmwl du bygythiol yn dod i lawr dros Bwll Bach – peth od, achos roedd gweddill yr awyr ar Draeth y Ffridd y diwrnod hwnnw yn las, las. Yn sydyn, fe beidiodd y dawnsio. Disgynnodd rhyw dawelwch mawr dros y crancod nes i un ohonyn nhw, mewn llais bach gwichlyd, weiddi 'Wendiiiiiii!'

Ar hynny, dyma'r crancod i gyd yn rhuthro i'r dde gan grasio'n un tomen i mewn i'r graig. Dyna drio i'r chwith, pawb ohonyn nhw'n rhedeg nerth eu cregyn wysg eu hochr gan bentyrru eu hunain ar wal y castell tywod. Fe ddechreuon nhw wichian a chrio a gweiddi am help ond roedd Wendi yn dod yn agosach ac yn agosach . . .

'O diar! 'Na drueni!' meddai hi yn ei llais cras. 'Unman i ddianc. Wel, wel, beth ddaw ohonoch chi, gwedwch? Siwt licech chi fyw yn fy mola mawr twym i? Ha, ha, ha, ha!'

Roedd gwaed Caradog yn berwi erbyn hyn a chydag un fflyd o nerth fe redodd yn ei flaen, yn gynt nag y rhedodd yr un cranc erioed o'r blaen, a phinsio dwy goes Wendi mor dynn ag y gallai yn ei grafangau blaen. Roedd adenydd Wendi'n chwifio, roedd ei phig ar agor led y pen ac roedd ei sgrech yn llenwi'r awyr. Daliodd Caradog ynddi â'i holl nerth a'i throi i'r cyfeiriad arall. Fe'i gwthiodd hi yn bell o Pwll Bach nes ei bod hi'n ymbil ar Caradog i'w gollwng yn rhydd.

'Byth!' gwaeddodd Caradog, '. . . hyd nes i ti addo na fyddi di byth eto'n dod o fewn can milltir i Pwll Bach, yr hen fwli aflafar â thi!"

'Iawn!' sgrechiodd Wendi. 'Unrhyw beth – jest gad i fi fynd!'

'Addo?' meddai Caradog gan wasgu'n galetach eto.

'Addo!' gwichiodd Wendi.

'Addo, addo?' sgyrnygodd Caradog rhwng ei ddannedd gan ddefnyddio'i holl nerth i roi un pinsiad anferth i goesau gwirion Wendi.

'Paid ti â becso. Sa i byth am ddod ar gyfyl Traeth y Ffridd eto, heb sôn am Pwll Bach. Chi i gyd yn boncyrs!'

Gollyngodd Caradog ei afael a hedfanodd Wendi yn bell, bell dros y gorwel yn dal i wichian a rhegi.

'A gwynt teg ar dy ôl di!' meddai Caradog gan droi 'nôl yn araf i gyfeiriad Pwll Bach.

A phan drodd, methai gredu'r olygfa oedd yn ei ddisgwyl. Roedd crancod Pwll Bach i gyd yn sefyll o'i flaen yn gweiddi 'Hwrê!' a 'Caradog am Byth!' a 'Caradog yw'n harwr ni!' a hyd yn oed yn canu 'Y Brenin Mawr Caradog'! Gyda hynny, daeth rhyw hanner dwsin o'r crancod cryfaf tuag at Caradog a'i gario ar eu hysgwyddau yn ôl i Pwll Bach.

Y noson honno fe gawson nhw barti anferth o dan y sêr i anrhydeddu Caradog a daeth Maer y pentre i ben y graig i wneud ei araith. Fe ddywedodd wrth bob un cranc fod arnyn nhw ddyled anferth i Caradog ac na fyddai'r un ohonyn nhw yna heno oni bai amdano fo. Ond, yn bwysicach na hynny, dywedodd eu bod nhw i gyd wedi dysgu gwers werthfawr iawn: i beidio byth â beirniadu neu wneud hwyl am ben

unrhyw un os ydyn nhw ychydig bach yn wahanol, oherwydd, fel roedd Caradog wedi profi y diwrnod hwnnw, mae cryfder, dewrder a thalent ym mhawb, a diolch byth am hynny.

Aeth y parti 'mlaen drwy'r nos ac roedd 'Cerddwn Ymlaen' yn swnio'n well nag erioed o'r blaen a Caradog, o'r diwedd, yn granc hapus, bodlon . . . ac yn dipyn o arwr gan bawb.

Ceri Corryn

Yn stafell molchi 10, Ffordd y Bryn,
Yng nghanol Ceredigion,
Lle trigai Alys ac Owen ei brawd
A'u rhieni, Gwen ac Eifion,
Roedd bath a sinc a chwpwrdd bach
Lle'r oedd Mam yn cadw'i cholur,
Drych siafio Dad a thŷ bach gwyn
A basged dillad budur.

Nawr, yn y gornel bellaf un
Uwchben y ffenest fechan,
I'r chwith o'r llun o pan aeth pawb
Am wyliau i Drimsaran,
Roedd twll bach yn y plastar gwyn
Ac olion gwe pry copyn,
Ac yno'n byw yn hapus braf
Oedd neb llai na Ceri Corryn.

Un annwyl iawn oedd Ceri'n wir,
Un hapus a charedig,
Poblogaidd iawn â'i ffrindiau i gyd . . .
Roedd yn gorryn go arbennig.
A chan fod ganddo fo wyth coes
(Oedd hefyd yn freichiau iddo),
Fe allai eu defnyddio i gyd
I ysgwyd llaw a chwtsio.

Fe ddeuai lawr o dro i dro
I gwtsio'i ffrindiau i gyd,
A gallai, gyda'i freichiau lu,
Roi cwts i bawb 'run pryd –
I Haf a Hedd yr hwyaid plastig
A'u brawd bach Harri Huws
A'r sebon porffor siâp glöyn byw,
Ie, y Pilipala Piws.

Roedd pawb yn dwli ar Ceri bach

Ac mor falch o gael ei gwmni

Wrth iddyn nhw gael hwyl a sbri

Rhwng muriau'r stafell molchi,

Yn chware cuddio, chwarae sioe,

Ac weithiau gêm o rygbi,

Gan orffen gyda'r wobr fawr

Sef cwts ym mreichiau Ceri.

Ond o glywed rhyw sŵn traed

Yn nesáu at y stafell molchi,

Mi roedden nhw yn brysio'n wyllt

Rhag ofn bod rhywun yn sylwi

Eu bod nhw wedi symud

O'r fan lle'r o'n nhw dd'wetha,

Yr hwyaid 'nôl i ochr y bath,

Tu ôl i'r Pilipala . . .

A Ceri Corryn 'nôl i'w dwll
Yn y plastar yn y gornel,
Ac yno yr arhosai
Yn llonydd ac yn dawel,
Nes bod pwy bynnag ddaeth i mewn
Yn mynd 'nôl lawr y grisiau,
Ac yna byddai'r hwyl yn dechrau
Eto rhwng y ffrindiau.

Ond, un diwrnod ym mis Awst,
Tra oedd y ffrindiau'n chwarae,
Ni chlywodd 'run ohonyn nhw
Sŵn sgidiau ar y grisiau,
Ond yna, clywsant wich y drws
Yn agor yn araf, araf,
Ac fe redon nhw bob un, ffwl pelt,
I'r safle ro'n nhw dd'wethaf.

Ond methodd Ceri druan
 chyrraedd y twll mewn pryd,
Ac arhosodd ar y nenfwd
Yn llonydd ac yn fud.
Ac yna, Owen ddaeth i mewn
(Roedd eisiau golchi'i ddwylo),
Ond crwydrodd llygaid Owen bach
I'r nenfwd uwch ei ben o.

A rhewodd Owen yn y fan
Wrth syllu fry at Ceri,
Ac fe gododd Ceri un fraich fach
Mewn rhyw ystum 'Shwmai heddi?'
Ond o waelod bola Owen daeth
Un sgrech fawr annaearol,
'Dadi! Dadi! Dere 'ma glou!
Corryn! Ma' fe'n ANFERTHOL!'

Fu dim y fath ofn ar Owen bach
Erioed fel y diwrnod hwnnw,
A gwaeddodd ganwaith nerth ei ben,
'Wi'm yn lico'r corryn salw!
Ewch mas ag e! Rhowch e lawr y plwg
Cyn gwmpith e ar 'y mhen i!'
Ac yna brysiodd Dad i mewn
I banic y stafell molchi.

Estynnodd at y nenfwd
Gan syllu ar Ceri Corryn
Ac yna gwelodd Ceri
Law anferth yn ymestyn . . .
Fe ddaeth y llaw yn nes ac yn nes
A'i gysgod yn hongian drosto,
Ac edrychodd Ceri i fyw llygaid Dad . . .
Ac yna dechrau crio.

'Plis, peidiwch a 'nhaflu i mas, na newch?
Plis, plis, wi'n dwlu byw 'ma,
Fydda i ddim yn drafferth, wi'n addo i chi,
O! Plis ga'i aros yma?'
Roedd ffrindiau Ceri'n dal eu gwynt
Ac Owen yn dal i udo,
Ond gwelodd Dad am y tro cynta rioed
Gorryn yn beichio crio.

Fe gymerodd o un cam yn ôl
Ac yna troi at Owen
A phwyntio at y nenfwd
Gan ddweud, 'Nawr edrych, fachgen,
Dim ond corryn bach yw e,
Druan bach ag e'n 'i ddagre,
Sdim isio i ti fod 'i ofn e, twel?
Ti'n fwy nag e i ddechre!

A ta beth, fan hyn ma' fe 'di byw
Ar hyd 'i oes, weden i,
Yn dala pryfed, a gwau'i we,
Heb boeni dim arnon ni.
A falle bod e'n salw i ti
Ond dyw e ddim i'w fam a'i dad e
Na'i ffrindie i gyd, felly Owen bach,
Bydd yn fachan mawr, a gad e.'

Fe ddeallodd Owen beth oedd gan Dad
A theimlai'n llawer gwell,
Byddai Ceri wedi'i gwtsio . . .
Ond byddai hynny'n mynd braidd yn bell!
Ond ers y diwrnod hwnnw
Mae Ceri'n byw yn fodlon
Yn stafell molchi 10, Ffordd y Bryn,
Yng nghanol Ceredigion.

Y Chwilod

Ar waelod gardd Ton-y-pwll, sef tŷ Nel a Cesia, roedd 'na gyffro mawr. Ychydig a wyddai Nel a Cesia fod rhywbeth pwysig iawn ar fin digwydd a hynny yn eu gardd nhw, y tu ôl i'r sied ac o dan y goeden geirios. Ond ym myd yr holl greaduriaid bach oedd yn byw yna, ac yng ngweddill yr ardd, petai hi'n dod i hynny, roedd y newyddion yn lledu fel tân gwyllt – roedd y Chwilod ar daith!

Nawr, y Chwilod oedd y band roc enwocaf yn yr holl ardd! Roedd pawb wedi gwirioni arnyn nhw ac roedd ganddyn nhw ffans ym mhob twll a chornel, pob potyn, pob coeden, pob clawdd, pob ffens a phob gwely blodau. Byddai'r cyngherddau bob amser yn orlawn ac roedd hi'n amhosibl cael tocynnau o fewn pum munud wedi iddyn nhw fynd ar werth!

Pedwar aelod oedd yn y grŵp a dyma nhw:

Guto'r Neidr Gantroed – y drymiwr. Doedd dim drymiwr tebyg iddo ac wrth gwrs roedd ei holl goesau yn caniatáu iddo waldio cymaint o ddrymiau ag y dymunai ar yr un pryd, gan roi sain unigryw i'r band. Yn ôl y cylchgrawn *Arwyr Roc*, mae Guto yn 'un o ddrymwyr gorau'r unfed ganrif ar hugain ac yn sicr y gorau ymhlith drymwyr o dan dair modfedd o hyd!'

Paco Picwn – y gitarydd. Yn wreiddiol o Batagonia ond wedi hedfan draw i Don-y-pwll ddechrau'r haf a swyno pawb gyda'i allu anhygoel ar y gitâr. Er ei fod yn gallu bod ychydig yn bigog ar brydiau, roedd pawb yn maddau iddo oherwydd ei ddawn ac mae'n boblogaidd iawn gyda'r merched! Yn y cylchgrawn *Pigo*, Paco ddaeth ar frig y rhestr fel y chwilen y byddai merched yr ardd yn fwya' tebygol o'i 'bigo' fel cariad. Ŵ!

Pili – chwaraewr gitâr fâs. Glöyn byw neu bilipala ydi Pili. Dyna sut gafodd ei enw. Yn ogystal â bod yn chwaraewr heb ei ail, mae Pili'n enwog am ei ddillad crand a'i steil arbennig. Pan fydd yn chwarae mae llewys lliwgar ei adenydd yn chwifio ar draws y llwyfan gan swyno pawb. Roedd Pili ar dudalennau'r cylchgrawn *Ffeithiau Ffasiwn* yn wythnosol ac erbyn hyn mae wedi dechrau ei label ffasiwn ei hun fel bod ei ddilynwyr yn gallu gwisgo fel fo.

Dot – buwch goch gota a phrif leisydd y band. Mae Dot yn brydferth, yn dalentog ac yn hawdd iawn ei hadnabod gyda'i chlogyn coch hardd ac un smotyn du ar ei hochr chwith. Felly, yn aml iawn, fe'i gwelid ar ddail yn arwyddo llofnodion i drigolion yr ardd. Mae'n anodd iawn cuddio pan ydych chi mor enwog â Dot.

Roedd taith y Chwilod yn arbennig o gyffrous i Dot oherwydd roedd hi wedi cael ei threfnu i ddathlu achlysur pwysig iawn yn hanes ei bywyd. Roedd gan Dot siawns cryf o ennill ei hail smotyn! Fe roddwyd y smotyn cyntaf iddi gan y Frenhines Fanw, sef pennaeth pob un buwch goch gota yn yr ardd, ar ddiwrnod ei Phen-blwydd Arbennig. Roedd pob buwch goch gota'n cael smotyn ar ddiwrnod y Pen-blwydd Arbennig, ond roedd yr ail smotyn yn anoddach i'w ennill. Roedd yn rhaid gwneud neu gyflawni rhywbeth mawr i fod yn deilwng o hwn.

'Dim problema, Doti fach,' meddai Paco wrthi yn ei acen hyfryd. 'Rwyt ti wedi swyno'r ardd gyda dy ganu ers amser maith. Y smotyn fydd ffordd yr ardd o ddweud "Gracias señorita" wrthot ti.'

'Ma'n iawn, sti . . .' meddai Guto. 'Gin ti homar o siawns dda. 'Sna'm chwilan arall yn yr ardd i gyd sy'n medru canu 'fatha chdi, del.'

'Itha reit,' ochneidiodd Pili, wrth sipian coctel o sudd mefus a phersawr rhosyn, 'a byddai smotyn arall i gydbwyso'r un sydd yno'n barod yn ddelwedd llawer mwy cyffrous. Llawer mwy "ti", bêb.'

'Wel, diolch i chi, hogia,' meddai Dot yn wylaidd, 'ond gawn ni weld. Mae 'na lawer o greaduriaid yn yr ardd 'ma sy'n haeddu gwobrau a sawl buwch goch gota wedi gweithio'n galed iawn yn eu gwahanol ffyrdd. Fedrwn ni ddim cymryd yn ganiataol mai fi sy 'di ennill yr Ail Smotyn y tro 'ma.'

'Wel,' meddai Guto'r Neidr Gantroed, 'os na chei di dy smotyn, mi fyta i'n sgidia! A ti'n gwbod gymaint o joban fyddai honna!'

'Ac fe ddweda i "Adios" i'r ardd os na fydd Dot yn ei hennill,' hisiodd Paco.

'Mae diffyg chwaeth yn beth hyll iawn, ac os na chei di dy smotyn mi fydd yn profi unwaith ac am byth mai dim ond ychydig iawn ohonon ni sydd sy'n deall y pethe gore mewn bywyd,' cwynodd Pili.

'Reit. Dyna ddigon,' meddai Dot, 'rhowch gora iddi. Mae'r cyngerdd cyntaf heno. Mae isio i ni ymarfer a phacio ar gyfer y daith, felly llai o falu awyr am y smotyn 'ma a mwy o waith!'

Gwenodd gweddill y band ar Dot. Roedden nhw'n meddwl y byd ohoni ac am y gorau iddi. Ond roedd hi'n iawn. Roedd angen iddyn nhw baratoi ar gyfer y daith, a'r gobaith oedd y byddai'r Frenhines Fanw'n cyhoeddi pwy fyddai'n ennill y smotyn fel y gallai'r Chwilod alw'r daith yn 'Taith Smotyn Dot'. Ond roedd y Frenhines wedi ystyried sawl buwch goch gota ar gyfer y wobr ac wedi bod i weld bob un ohonyn nhw wrth ei gwaith. Heno, roedd hi am ddod i weld Dot yn perfformio yn y cyngerdd, ac ar ôl hynny fe fyddai hi'n gwneud ei phenderfyniad.

Gosododd y Chwilod eu gêr yng nghornel y sied, ac ar ôl iddyn nhw wneud yn siŵr fod pob offeryn mewn tiwn, fe ddechreuon nhw ymarfer eu cân gyntaf. Cân fywiog, swnllyd,

lawn hwyl oedd cân gynta'r set a hon oedd wedi saethu'r Chwilod i frig y siartiau. Roedd 'Mae gen i chwilen yn fy mhen' wedi gwerthu cannoedd ac roedd hi'n dal yn ffefryn. Pedwar bar o ddrymio, yna byddai gweddill y band yn ymuno am bedwar bar, ac yna mi fyddai Dot yn dechrau canu o waelod ei bol:

Ma' gen i chwilen yn fy mhen,
Ac fe ddaw'r byd i gyd i ben
Os na ga'i weld dy wyneb di
Cyn toriad gwaaaaaaaaawr!

Roedd y Chwilod yn swnio'n well nag erioed ac edrychodd y bois ar ei gilydd gan wybod y byddai'r daith yn llwyddiant ac y byddai'r Frenhines Fanw yn siŵr o gael ei swyno gan berfformiad Dot yn nes ymlaen. Byddai'r Ail Smotyn ar glogyn Dot cyn diwedd y dydd. Roedd hynny'n bendant.

Ond hanner ffordd drwy'r ail bennill fe lithrodd Mal y Mwydyn (peiriannydd sain y band) tuag at Dot a golwg bryderus iawn ar ei wyneb. Bob yn un fe beidiodd yr offerynnau. Roedd Mal yn amlwg wedi'i ysgwyd a gofynnodd Dot iddo:

61

'Be sy Mal? Ydi popeth yn swnio'n iawn? Ti isio i mi ganu llai? Neu ydi gitâr Paco ychydig bach yn rhy uchel?'

'Na, na. Dim byd fel 'ny. Chi'n swno'n grêt . . . ond ma' rhwbeth ofnadw wedi digwydd Hanner Ffordd Lawr yr Ardd,' atebodd Mal yn grynedig.

'Be sy 'lly?' holodd Guto.

'Y Mynydd Morgrug. Ma' fe 'di cwmpo. Da'th lorri hibo'r tŷ a sblasio dŵr dros y wal ac fe laniodd e i gyd ar ben y mynydd a'i whalu fe'n rhacs . . .'

Ochneidiodd y Chwilod fel un. Roedd hyn yn newyddion ofnadwy. Ond roedd gwaeth i ddod . . .

'Ma'r morgrug mewn argyfwng difrifol. Maen nhw'n ddi-gartref, yn wlyb ac yn oer, sdim bwyd 'da nhw a ma'r babis morgrug mewn perygl ofnadw! Druan â nhw, maen nhw 'di gwitho mor galed ddydd a nos ers sa i'n gwbod pryd i adeiladu'r mynydd 'na, a nawr . . . dim . . .'

Tawelodd llais Mal wrth iddo ymladd yn erbyn y dagrau. Doedd dim smic yn y sied. Roedd pawb mewn sioc.

'Reit!' dywedodd Dot ar ôl dipyn, 'Paciwch y gêr. 'Dan ni'n mynd i helpu. Guto, mi elli di gario cant o bwcedi bach ar y tro i symud y mwd 'na. Paco, galwa ar dy ffrindiau i gyd, gewch chi ollwng bwyd a diod i'r morgrug o'r awyr. Pili, dos i dy storfa ddillad i nôl cymaint o wahanol ddefnyddiau ag y gelli di. Mi nawn nhw'r tro fel blancedi i gadw pawb yn gynnes. Mal, dos di i dyllu fel bod y dŵr i gyd yn mynd 'nôl dan ddaear ac mi af fi i helpu gyda'r nyrsio a'r bwydo.'

'Ond, señorita fach, beth am y cyngerdd? A'r smotyn?' gofynnodd Paco'n ofalus.

'Paco, mae hyn yn bwysicach o lawer na chyngerdd,' atebodd Dot yn bendant, 'A be 'di smotyn pan mae 'na gannoedd o forgrug bach yn ddi-gartre? Dewch, fedrwn ni ddim gwastraffu eiliad!'

Gohiriwyd y cyngerdd ac aeth y sêr bach i Hanner Ffordd Lawr yr Ardd gan ddechrau ar y gwaith yn syth. Daeth Paco â sgwadron ar ôl sgwadron o bicwns i ollwng bwyd a moddion i'r ddaear. Fe gerddodd Guto filltiroedd yn cario mwd yn y bwcedi. Fe lapiodd Pili ddwsinau o forgrug bach yn y sidanau mwyaf bendigedig i'w cadw'n gynnes ac fe weithiodd Dot rownd y cloc yn bwydo a chysuro'r cleifion. Roedd y drychineb yn waeth nag oedd unrhyw un wedi ei ddychmygu. Mwd ym mhobman, morgrug bach yn crio am eu rhieni, morgrug mawr yn ceisio'u gorau i roi trefn ar eu bywydau ond roedd hi'n dasg anferth. Plygodd Dot ei phen mewn anobaith. Daeth Guto ati a rhoi un o'i freichiau o'i chwmpas.

'Yli. Fedrwn ni'm gneud mwy na 'dan ni'n neud yn barod, 'nghariad i. Ma' pawb yn gneud eu gora glas.'

'Dwi'n gwbod,' ochneidiodd Dot. 'Taswn ni ond yn gallu meddwl am ffordd i gael yr HOLL ardd i helpu. Mae'n ormod i drigolion Hanner Ffordd Lawr.'

Rhoddodd ei phen ar un o ysgwyddau Guto a wylo'n dawel. Yna, fel fflach, daeth syniad iddi!

'Guto! Ma' hi gen i! Cer i nôl gweddill y band a Mal . . . reit handi!'

Rhedodd Guto mor gyflym ag yr oedd ei gan troed yn caniatáu ac o fewn dim roedd y Chwilod gyda'i gilydd yn gwrando ar Dot.

'Reit, dyma'r cynllun. 'Dan ni am gynnal cyngerdd elusen. Cyngerdd i achub y morgrug. Y pris mynediad yw un darn o bridd ac mae'n agored i bob un creadur yn yr ardd. Ac os daw pawb â phridd o bob rhan o'r ardd bydd y mynydd wedi ei ailadeiladu 'mhen dim!'

Er bod pawb yn flinedig, fe roddodd syniad Dot egni newydd iddyn nhw ac fe aeth y newyddion ar hyd a lled yr ardd mewn dim o dro y byddai cyngerdd y Chwilod yn ddigwyddiad hanesyddol.

Erbyn saith o'r gloch y noson wedyn roedd Hanner Ffordd Lawr yr Ardd yn orlawn! Daeth creaduriaid o bob math draw, nid yn unig o ardd Ton-y-pwll ond o ardd Llys yr Hafod, Cae Pant a Caeheulog hefyd! Roedd yr awyrgylch yn DRYDANOL. Mal oedd yng ngofal casglu'r pridd ac o fewn yr awr gyntaf roedd o wedi casglu digon o bridd i adeiladu nid un, nid dau, ond TRI mynydd newydd i'r morgrug!

Fe chwaraeodd y Chwilod eu gìg gorau erioed y noson honno. Aeth y cyngerdd 'mlaen drwy'r nos, gyda phawb yn dawnsio a chyd-ganu a mwynhau. Roedd y morgrug ar ben eu digon ac mor ddiolchgar i'r Chwilod am achub y dydd.

Ond wrth i'r Chwilod chwarae eu cord olaf, tawelodd y gynulleidfa wrth i rywun pwysig dros ben gerdded ar y llwyfan – neb llai na'r Frenhines Fanw, brenhines pob un buwch goch gota yn yr ardd. Cerddodd yn araf at y meic gan gyhoeddi:

'Ffrindiau. Mae'n rhoi pleser arbennig i mi i anrhydeddu merch dalentog iawn heno. Ond yn fwy na hynny, merch â chydwybod, merch sy wedi rhoi anghenion eraill o flaen ei hanghenion hi ei hun. Merch sydd wedi sicrhau dyfodol i filoedd gyda'i chalon anferth. Gyfeillion, mae'n anrhydedd i mi gyflwyno'r Ail Smotyn hwn i . . . Dot!'

Cododd y dorf fel un i gymeradwyo a gweiddi bonllefau o fawl i Dot wrth iddi gerdded yn swil tuag at y Frenhines i dderbyn ei Hail Smotyn. Roedd pawb wrth eu bodd ac yn cytuno nad oedd neb yn haeddu'r fath fraint yn fwy na Dot. Diweddglo bendigedig i noson fythgofiadwy.

Erbyn hyn, mae'r Chwilod wedi gorffen eu taith ac mae eu hwynebau ar flaen pob un cylchgrawn a phapur newydd yng ngerddi'r fro. Mae Dot wedi ennill sawl gwobr ac anrhydedd am ei dewrder y diwrnod hwnnw – BAFFTA (Bihafio'n Anhunanol, Ffrind Tra Arbennig), OSCAR (Offrymydd Siriol, Caredig, Arbennig a Rhadlon) ac wedi ei derbyn i Orsedd yr Ardd i'r Wisg Wen gyda Smotiau Pinc, yr anrhydedd uchaf un. Ond yr Ail Smotyn yw'r un sy'n ei llonni fwyaf wrth gwrs.

Bydd y Chwilod mewn gardd wrth eich hymyl chi cyn bo hir ac mae'u CD diweddara, 'Yn Fyw o'r Mynydd Morgrug', yn y siopau nawr. Pris: un darn o Bridd a Deilen. Bydd elw'r CD yn mynd at elusennau Gardd Ton-y-pwll.

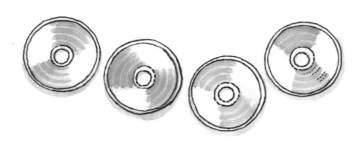

O dan wely Manon

Bob yn hyn a hyn mae'n rhaid i famau ar draws y byd
Ofyn rhyw hen gwestiwn sy'n boen i'w plant i gyd.
Dyw e ddim yn gwestiwn anodd, mae'n reit hawdd a dweud y gwir,
Ond os mai 'Na' yw'r ateb, mae 'na ryfel yn y tir!

A dyma i chi'r cwestiwn sy'n gyfarwydd iawn i ni,
Chi'n barod? . . . 'Wyt ti wedi tacluso d'ystafell di?'
Mae hi'n gwybod pryd i ofyn, pa ddiwrnod a pha awr,
Ac mae fel petai hi'n gwybod bod y stafell â'i phen lawr.

'Bydda i fyny mewn pum munud a dwi'n disgwyl iddi fod
Yn gymen ac yn deidi. Taclusrwydd yw y nod!'
Ac yna mae'r gwaith yn dechrau a does dim yn y byd
Mor ddiflas â thacluso yr un hen bethau o hyd.

69

Ond fe ddarganfu Manon dric oedd yn gweithio bob tro,
A chanddi hi oedd y stafell daclusa yn y fro . . .
Hynny yw nes i chi edrych o dan ei gwely hi,
Oherwydd roedd yno fyd arall, wir i chi!

Fe stwffiai Manon bopeth o dan ei gwely pinc
Ac roedd popeth yn y byd 'na, o slipars i blwg y sinc!
Roedd 'na bapur lapio Dolig a gwdihŵ bach glas
Ac *alien* o focs Corn Fflêcs, oedd yn edrych 'bach yn gas.

Roedd powlen y pysgod aur wedi'i llenwi â ffrogiau Barbie
Ar ben hen gatalog Argos a map o dref Llangefni,
Sgidiau bale, seis rhy fach, a bisged ar ei hanner,
Llun o Gavin Henson, cyfrifiannell, llwch a baner.

Pry copyn plastig, seiloffôn, a briwsion darn o dost,
CD o Martyn Geraint a hen hen *Daily Post*,
Un hosan fach amddifad a llun ohoni hi
Yn dair oed ar ei gwyliau ym myngalô Mam-gu.

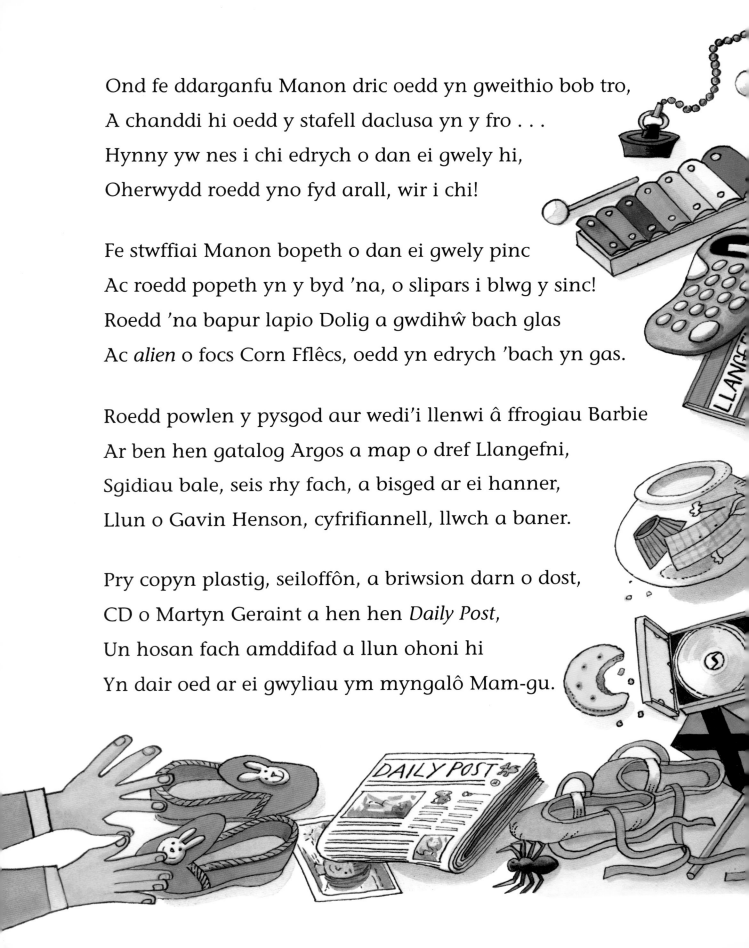

A heddiw 'ma fe wthiodd gêm o Twister a siwt sgïo

I gornel fach ar ben hen lamp a thedi wedi'i flingo,

A rywsut llwyddodd Manon i gynnwys dwfe mawr

I'r casgliad dan y gwely – oedd dair modfedd oddi ar y llawr!

Ac yna clywodd hithau sŵn traed ei mam yn nesu

A'i llais yn gweiddi, 'Manon, ti 'di gneud dy stafell wely?'

'Jest iawn,' atebodd Manon gan roi ffling i DVD

O foi yn chwarae tiwba ar ben mynydd yn Torquay.

Ac yna fe ddaeth Mam i mewn gan wenu'n falch ar Manon,

'Wel dyna stafell daclus. Rwyt ti'n ferch dda. Diolch o galon!'

A gwenodd Manon 'nôl ar Mam gan ddweud â wyneb syth,

'Dim trafferth, Mam, mi gadwa i fy stafell fel hyn am byth.'

Ond wrth gwrs fe ddaw 'na ddydd
Pan fydd rhywun yn gorfod clirio
Y domen fawr o sbwriel
Sydd wedi casglu yno,
Ond tan ddaw'r diwrnod hwnnw
Bydd Mam yn ddigon bodlon
Yn ei hanwybodaeth lwyr o'r hyn
Sy'n llechu . . . dan wely Manon!

Brychan
y Chwannen Anturus

Un tro, mewn pentref yng ngogledd sir Benfro roedd yna fferm o'r enw Ty'n-y-berllan. Yn Nhy'n-y-berllan fe drigai Wil a'i frawd Jacob a'u ci, Bobi Williams. Ar gefn Bobi Williams, rhyw chwe modfedd yn uwch na'i gynffon a dwy fodfedd i'r chwith o'r clwstwr o flew gwyn, roedd chwannen o'r enw Brychan yn byw yn hapus. Roedd wedi twrio i ganol blew brown Bobi Williams lle na fyddai'n cael ei weld gan unrhyw un ac roedd o wedi gosod ei hun mewn man oedd yn rhy anodd i Bobi Williams ei gyrraedd a'i grafu. Roedd côt Bobi Williams yn glyd ac yn gynnes ac roedd Brychan ar ben ei ddigon. Yn wahanol i chwain eraill, doedd Brychan ddim yn un am neidio ar hyd y lle a rhyw ddwli fel 'na. Roedd well ganddo aros yn yr un fan a gallai Bobi Williams fynd ag e ar deithiau cyffrous a diddorol bob dydd – mynd â Wil a Jacob 'nôl a 'mlaen i'r ysgol, mynd am dro i ben y mynydd gyda Mrs Williams ac i'r caeau i gadw trefn ar y defaid gyda Mr Williams. Dyna oedd ffefryn Brychan. Roedd e wrth ei fodd gyda'r chwibanu a'r brefu a Bobi Williams yn ufuddhau i orchmynion ei feistr, 'Cwm bei, cwm bei.' A phob nos, byddai Brychan a Bobi Williams yn cyrlio yn y fasged o flaen y tân mawr ac yn cysgu'n braf tan y bore. Ac yn y bore, byddai popeth yn dechrau eto a Brychan, fel rhyw frenin bach, yn cael ei gludo i bobman. A! Bywyd syml ond bywyd braf oedd gan Brychan y Chwannen.

Un diwrnod, daeth brawd Mrs Williams i aros yn Nhy'n-y-berllan. Mr Parri oedd ei enw. Roedd yn ddyn tal a chanddo wallt coch a barf gnotiog, arw.

'O diar,' meddyliodd Brychan wrth edrych ar farf Mr Parri, 'licen i ddim byw yn fanna. Bydde fe'n rhy rwff o lawer a bydden i'n gwte i gyd!'

Roedd gan Mr Parri lawer o straeon ac fe glywai Brychan a Bobi Williams e yn eu hadrodd wrth y bwrdd swper bob nos. Hanesion am deithiau pell a gwledydd poeth ac anifeiliaid gwyllt o lefydd yn y byd nad oedd Brychan wedi clywed amdanyn nhw erioed (wel, doedd dim rhyfedd, nagoedd, roedd e wedi byw ym mlew Bobi Williams ar hyd ei oes a heb symud unwaith!). Daeth ag anrhegion i Wil a Jacob o le o'r enw Affrica – mygydau trawiadol ac offerynnau taro gwych yr olwg. Roedd Wil a Jacob wrth eu boddau'n codi ofn ar Mr a Mrs Williams gyda'r mygydau ac yn eu byddaru pan oedden nhw'n bwrw'r drymiau'n galed gyda llwyau pren.

Ar ôl sgwrsio'n hir un noson, fe drodd pawb am y gwely ac am ryw reswm fe benderfynodd Bobi Williams ddilyn Mr Parri i'w stafell.

'Bobi Williams, basged, NAWR, 'na fachgen da,' gorchmynnodd Mr Williams, oedd am iddo fynd i'w wely arferol o flaen y tân.

'O gad iddo fo,' dywedodd Mr Parri. 'Ti isio dod i gysgu'n fy stafell i heno, boi? Tyrd yn dy flaen 'ta. Chei di'm cyfle arall achos dwi'n mynd fory . . .'

'Ti'm 'di newid dim,' meddai Mrs Williams. 'Dwi'n cofio Guto'r ci bach yn cysgu yn dy stafell di bob nos pan oedden ni'n blant.'

'Dwi wrth fy modd hefo cŵn,' gwenodd Mr Parri. 'Maen nhw'n ffrindiau da a ffyddlon. Tyrd 'ta, Bobi Williams. Ty'd.'

Ac i ffwrdd yr aeth Bobi Williams a Brychan lan sta'r i gadw cwmni i Mr Parri drwy'r nos.

Tra oedd Mr Parri yn darllen cyn cysgu, fe benderfynodd Brychan fusnesu. Doedd e rioed wedi bod yn yr ystafell hon o'r blaen. Dringodd un o flew hir Bobi Williams i gael golwg ar y lle. Mmmm, ystafell braf. Mentrodd Brychan ychydig eto ac am y tro cyntaf erioed fe gymerodd naid oddi ar Bobi Williams ac aeth am dro bach. Ŵ, roedd y carped yn esmwyth braf ac roedd golau'r lleuad yn disgleirio drwy'r ffenestr. Arweiniodd llwybr arian y lleuad Brychan at focs lledr brown ar y llawr. Neidiodd Brychan i'r bocs gan lanio ar y peth esmwythaf a deimlodd erioed. Beth oedd e? O! Roedd yn gynnes ac yn gysurus a chyn pen dim roedd Brychan yn cysgu'n sownd.

Pan ddaeth yr haul drwy'r llenni'r bore wedyn, deffrodd Brychan yn araf ar ôl noson hyfryd o gwsg. Ond yn sydyn,

gwelodd Brychan ddwylo Mr Parri yn dod tuag at y bocs a dechreuodd popeth fynd yn dywyll.

'O na!' meddyliodd Brychan, 'be sy'n digywdd?'

Ond cyn iddo gael cyfle i feddwl eiliad yn rhagor aeth popeth fel bol buwch ac yn dawel fel y bedd . . .

Roedd Brychan yn y bocs am oes pys. Diolch byth, roedd e'n dal yn gyffordus ond roedd e jest â marw eisiau i Mr Parri ailagor y bocs er mwyn iddo gael neidio 'nôl ar gefn Bobi Williams a mynd o gwmpas ei bethau fel pob diwrnod arall. Ond roedd sioc anferth yn ei ddisgwyl. Oriau ac oriau yn ddiweddarach, pan agorodd Mr Parri y bocs, cafodd Brychan y teimlad yn syth nad oedd o yn Nhy'n-y-berllan. Doedd dim golwg o Wil na Jacob yn unman a doedd Bobi Williams ddim i'w glywed na'i weld chwaith. Roedd POPETH yn teimlo'n wahanol, yn swnio'n wahanol, yn gwynto'n wahanol ac roedd y 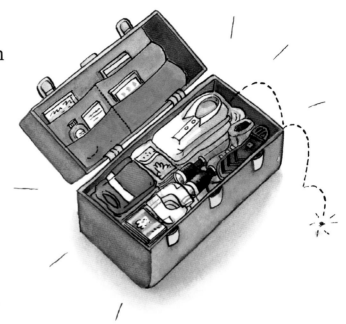 gwres yn danbaid. Neidiodd Brychan oddi ar ei wely i gael golwg agosach. Yn y bocs fe welodd sanau, sgidiau cerdded, sbienddrychau, camerâu, mapiau, crysau-T, eli haul a llyfrau ar . . . Y Jwngwl! Dechreuodd pethau wawrio ar Brychan. Roedd e'n amlwg wedi neidio oddi ar gefn Bobi Williams ar y carped ac yna o'r carped i gês Mr Parri, wedi mynd i gysgu ar un o'i siwmperi gorau ac wedi teithio hanner ffordd rownd y byd ac wedi glanio yma yn nyfnderoedd y Jwngwl. O! Nefi blŵ! Beth ar y ddaear oedd e'n mynd i'w wneud nawr? A sut yn y byd oedd e am ffeindio'i ffordd 'nôl i Dy'n-y-berllan?

Yn ei banic, fe neidiodd o'r bocs a glanio ar esgid Mr Parri. Dechreuodd hwnnw gerdded yn gyflym gan roi cic i ryw gangen oedd yn ei ffordd nes bod Brychan druan yn hedfan drwy'r awyr. Glaniodd yn anniben ar fynydd mawr llwyd a sychodd y chwys oddi ar ei dalcen bach. Roedd y mynydd yma'n anferth ac yn grychau i gyd. Cerddodd am ychydig nes gweld pwll mawr brown. Yna gwelodd y pwll mawr brown yn symud, yn troi tuag ato ac yna'n . . . wincio? Neidiodd Brychan yn ôl mewn braw ac fe glywodd lais dwfn yn dweud,

'Shwmai heddi? A beth mae chwannen fach fel ti yn ei wneud ar drwnc eliffant yng nghanol y jwngwl?'

'ELIFFANT?' gwichiodd Brychan. Edrychodd o'i gwmpas a gwelodd ei fod ar dop trwnc yr eliffant ac yn edrych i fyw un o'i lygaid. 'O! Esgusodwch fi, syr. Ma'n wir ddrwg 'da fi eich styrbo fel hyn ond rwy'n bell oddi cartref. Rwy 'di dod i'r jwngwl ar ddamwain a 'na i gyd rwy'n moyn yw mynd gartre i Dy'n-y-berllan yng ngogledd sir Benfro ac rwy 'di colli Mr Parri sy'n gwybod y ffordd gartre.'

'Jiw, jiw, bachan. Ti mewn tipyn o bicil, on'd y't ti? Wel mae arna i ofan na fedra i dy helpu di. Yn anffodus, 'dyn nhw ddim yn gadel i eliffantod deithio ar awyrenne. Licen i petaen nhw. Rwy 'di ffansïo mynd i Begwn y Gogledd ers blynydde ond mae teithio 'na yn amhosibl i eliffant fel fi. Neidia i flaen fy nhrwnc ac mi basa i ti 'mla'n i rywun arall all dy helpu di.'

Neidiodd Brychan i flaen trwnc yr eliffant ac fe chwythodd hwnnw mor galed nes iddo gatapwltio Brychan druan drwy'r awyr ac i hwnnw lanio'n uchel mewn coeden ar fraich fach flewog.

'Ym, esgusodwch fi . . . ga i air plis?' gofynnodd yn nerfus. Trodd pen bach brown oedd yn ddannedd i gyd tuag ato ac meddai'r llais y tu ôl iddyn nhw:

'Iym iym! Chwannen! Rwy biti starfo!' O bob creadur yn y jwngwl roedd Brychan wedi glanio ar fwnci ac fel mae pawb yn gwybod, bananas a chwain yw hoff fwyd mwncïod! O na!

'Wow nawr!' protestiodd Brychan, 'Plis peidiwch â 'mwyta i. Rwy'n bell oddi cartref. Rwy 'di dod i'r jwngwl ar ddamwain a 'na i gyd rwy'n moyn yw mynd gartre i Dy'n-y-berllan yng ngogledd sir Benfro ac rwy 'di colli Mr Parri sy'n gwybod y ffordd gartre.'

'O! Diolch am fy rhybuddio,' chwarddodd y mwnci. 'Mae chwain sir Benfro yn rhoi bola tost i fi bob tro. A gweud y gwir, dyw bwyd sir Benfro ddim yn cytuno â fi o gwbl. 'Na pam dwi byth yn mynd 'na. Felly sa i fawr o iws i ti i dy helpu di i fynd 'nôl 'na. Ond dala di'n sownd a wela i beth alla i wneud.'

Ar hynny, dyma'r mwnci yn gafael mewn cangen ac yn swingio a neidio o un goeden i'r llall nes bod pen a stumog Brychan yn troi fel peiriant golchi.

'Dyma ni,' meddai'r mwnci, gan bigo Brychan rhwng ei ewinedd a'i fflicio am lathenni o'i flaen.

Sgrechiodd Brychan wrth iddo deithio drwy'r awyr a'r tro yma fe laniodd fel sach o datws ar flaen boncyff anferth yng nghanol afon werdd lonydd.

'Beth nawr?' gofynnodd Brychan iddo fe'i hunan a dechrau crio. Roedd e'n gweld eisie Ty'n-y-berllan a Bobi Williams yn ofnadw ac roedd yn ofnus dros ben yn y lle dieithr yma. Dechreuodd y boncyff lifo'n araf gyda'r dŵr a dechreuodd Brychan feddwl na fyddai byth yn cyrraedd adre. Ond yn sydyn fe gododd pen blaen y boncyff, ac fe gododd Brychan gydag e i'r awyr. Yna fe welodd ddwy res hir o ddannedd miniog. Symudodd y boncyff yn araf i'r lan, lle'r arhosodd am ychydig. Cododd pen y boncyff eto a daeth y dannedd i'r golwg unwaith yn rhagor. Am funud bach . . . nid boncyff oedd hwn ond . . . CROCODEIL! Roedd Brychan mewn dipyn o dwll nawr a phan drodd ei ben yn araf, gwelodd ddau lygad yn syllu arno.

'Helô . . . ym . . . diolch am y lifft,' meddai Brychan yn wan.

Ddywedodd y crocodeil ddim byd yn ôl wrth Brychan. Dim ond chwyrnu'n dawel. Roedd Brychan yn crynu drosto gan fod cymaint o ofn arno. Un symudiad a byddai'n disgyn i geg y crocodeil a dyna fyddai ei diwedd hi i Brychan bach. Mentrodd siarad eto.

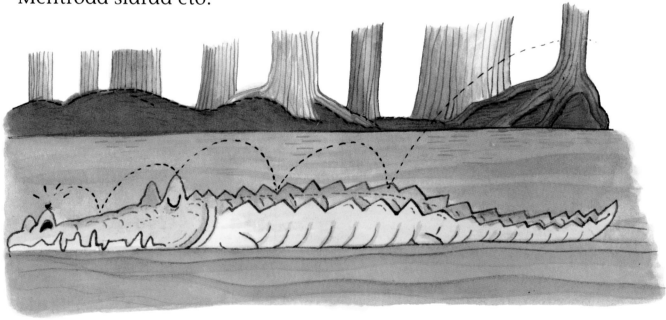

'Y peth yw, chi'n gweld, rwy'n bell oddi cartref. Rwy 'di dod i'r jwngwl ar ddamwain a 'na i gyd rwy'n moyn yw mynd gartre i Dy'n-y-berllan yng ngogledd sir Benfro a rwy 'di colli Mr Parri sy'n gwybod y ffordd gartre.'

Distawrwydd. Yna chwyrnu. Yna'r llygaid yn cau ac yn agor eto. Roedd y chwys yn tasgu oddi ar wyneb Brychan.

'Mr Parri ddwedest ti?' meddai'r crocodeil yn ei lais dwfn, brawychus.

'Ie syr. Mr Parri, brawd Mrs Williams sy'n byw yn Nhy'n-y-berllan gyda Mr Williams a Wil a . . .'

'Jacob a Bobi Williams. Ie, mi wn i amdanyn nhw'n iawn,' meddai'r crocodeil yn bwyllog.

'Y?' gofynnodd Brychan yn hurt.

'Mae Mr Parri yn ffrind da iawn i ni grocodeils. Ma' fe wedi bod yn dod 'nôl a 'mlaen i'r jwngwl 'ma ers blynydde ac wedi achub sawl un ohonon ni rhag cael ein hela gan bobl ofnadw sydd am wneud arian mas o'n crwyn ni. Ma' fe'n ddyn dewr ac arbennig iawn, ac yn wahanol i lawer iawn o bobl, ma' fe'n dwlu ar grocodeils. Ma' 'da ni feddwl y byd ohono fe a ma' fe wedi gweud popeth wrthon ni am deulu Ty'n-y-berllan. Swno'n lle hyfryd.'

'O! Odi ma' fe. A 'nelen i unrhyw beth i fynd 'nôl 'na . . . gyda phob parch i chi wrth gwrs.'

'Paid ti â becso, gaf fi ti 'nôl at Mr Parri whap,' addawodd y crocodeil gan gau ei lygaid a phendwmpian yn yr heulwen.

O fewn rhyw hanner awr, clywodd Brychan sŵn traed ac yn siŵr i chi daeth Mr Parri at lan yr afon gyda chriw o ddynion wedi eu gwisgo'n debyg iddo mewn trowsusau byrion a chrysau gwyrdd a hetiau mawr a bagiau'n llawn offer. Cyfarchodd Mr Parri'r crocodeils yn hapus a daeth yn agos at yr un oedd yn cario Brychan. Symudodd y crocodeil yn araf at fag Mr Parri gan ollwng Brychan ar yr handlen. Chwifiodd Brychan arno gyda gwên o ddiolch a neidio i mewn i ddyfnderoedd y bag lle y gwyddai y byddai'n ddiogel.

Roedd yn rhaid i Brychan aros yn y jwngwl am ryw wythnos ond fe ddaeth o hyd i'w ffordd 'nôl i'r cês lledr ac ymhen dipyn fe gaewyd y clawr ac roedd Brychan yn gwybod ei fod ar y ffordd 'nôl i ogledd sir Benfro.

Pan agorwyd y clawr, teimlodd Brychan awyr iach clos y fferm ar ei groen a chlywodd Bobi Williams yn cyfarth yn y pellter a lleisiau Wil a Jacob yn croesawu eu hewythr yn ei ôl. Ar y cyfle cyntaf, neidiodd Brychan yn ôl ar gefn Bobi

Williams, ryw chwe modfedd yn uwch na'i gynffon a dwy fodfedd i'r chwith o'r clwstwr o flew gwyn ac yno y mae Brychan hyd heddiw, yn fodlon ei fyd a heb unwaith fentro oddi yno wedyn.

Daf y Defnyn Dŵr

Un bore braf o wanwyn
A'r awyr las yn glir,
Roedd yr adar oll yn canu
Dros erwau gwyrdd y tir.

Dim cwmwl yn yr awyr . . .
Heblaw un bychan gwyn,
Un tew fel candi fflos o'r ffair
Yn hofran uwch y bryn.

Ac ar y cwmwl hwnnw
Eisteddai dafn o ddŵr
Yn dawel, amyneddgar,
(A 'bach yn bôrd, mae'n siŵr!)

86

Dafydd oedd enw'r defnyn

(Daf i'w ffrindiau i gyd)

A'i freuddwyd mawr oedd llifo

Mewn afon ddofn ryw ddydd.

Ond roedd heddiw'n ddiwrnod braf,

Ac roedd Daf yn gorfod aros.

Roedd yr afon ar y bryn islaw

Mor bell ond O! mor agos . . .

'Petawn ond yn gallu disgyn

O'r cwmwl bychan hwn,

Fe lifwn am fy mywyd

Yn yr afon fawr, mi wn!'

Felly fe aeth Daf amdani

A rhoi ei nerth i gyd

I wthio'n galed i gwympo trwy

Ei gwmwl esmwyth, clyd.

'Heeeeeeeeeelp!' ebychodd Daf

Wrth ddisgyn drwy y nen,

'O! Plis, ga i lanio'n esmwyth?

Diolch yn fawr. Amen!'

Ac er nad oedd 'run parasiwt

Yn handi i Daf yn awr

Arnofiodd ar yr awel

O'r awyr reit i'r llawr.

A chyda 'plop' bach tawel

Fe wyddai ar un waith

Ei fod yn nant y mynydd

Yn dechrau ar ei daith.

Fe lifodd heibio'r eithin

A'r grug a'r defaid mân,

Ymunodd gyda'r adar

Yng nghytgan bêr eu cân.

Aeth lawr a lawr y mynydd

Mewn torf o ewyn gwyn,

Ac roedd y nant yn lledu

Yn afon erbyn hyn.

'O! Fedra i'm credu'n lwc i,'

Meddai Daf yn gyffro i gyd,

'Dwi'n rhan o afon loyw,

Filltiroedd gwlyb o hyd!'

Fe welodd Jos y ffarmwr

A'i gi yn crwydro'r caeau,

Fe sgipiodd dros y cerrig bach

A wincio ar y blodau.

Fe welodd Gwenan ar y bont

Yn edrych arno'n pasio,

'Haia, Daf! O'r diwedd,

Ti'n yr afon!' dwedodd wrtho.

Ond erbyn hyn roedd llai o wyrdd

Yn addurn ar y glannau,

A gallai Daf weld byngalos,

A thai a ffyrdd a siopau.

'Mae'n rhaid mai hon yw'r dref

Ma'n rhaid imi lifo drwyddi,

Mae mwy o bobol yn fan hyn –

A mwy o sŵn, myn diain i!'

Pesychodd Daf wrth basio'r ceir,

Cyn taro matras gwely

Ac osgoi hen droli Tesco

Oedd yn sownd mewn peiriant golchi!

'Ŵ, ych a fi! Wel dyma le,

Dwi am fynd o 'ma'n handi.

Dwi'n teimlo'n fudur ac yn sâl,

Ma'r dre 'ma'n ormod imi!'

Ond wrth i Daf fynd yn ei flaen
Fe drodd y dref yn draeth,
A chofiodd Daf y Defnyn bach
Am bennod ola'i daith.

Roedd ceg yr afon fach yn awr
Ar agor led y pen,
A chlywodd sŵn y tonnau mân
A chân yr wylan wen.

'Waw! Glan y môr!' dywedodd Daf
Gan synnu at y llanw,
Ac arhosodd yn yr aber
I'r don nesa alw'i enw.

'Daf y Defnyn?' meddai'r don,
'Dyma'r drefn, nawr gwranda,
Neidia ar fy ewyn gwyn,
Mwynha dy siwrne . . . NESA!'

91

Gwnaeth Daf yn union hynny

Nes i'r don ei gario'n ffri

Yn bellach at y gorwel

Yn nyfnder maith y lli.

Ac yna daeth gorchymyn

I bob un defnyn dŵr

Fod yn barod i anweddu . . .

Roedd y daith ar ben yn siŵr.

Fe gaeodd Daf ei lygaid

Wrth i'r heulwen braf a'r gwynt

Sugno'i holl wlybaniaeth

A'i anfon ar ei hynt.

A chysgodd Daf fel babi

Wrth iddo esgyn fry

I'r awyr las ei gymryd 'nôl

I'w herwau hyfryd hi.

Ac yna pan ddihunodd

Roedd 'nôl ar ben ei gwmwl,

Ac yn araf, fe ddechreuodd

Daf y Defnyn gofio'r cwbwl . . .

Dechrau yn nant y mynydd

Cyn troi yn afon fach,

A rhedeg drwy y caeau gwyrdd

A'r wlad a'r awyr iach.

Yna troi yn afon fwy

Cyn mentro mewn i'r dre,

A symud 'mlaen i'r aber,

A'r môr . . . a dyna fe!

Eisteddai ar ei gwmwl

Yn gwenu yn ei gyffro,

Roedd Daf yn hen law erbyn hyn

Yn barod i deithio eto!

Ribidi Robot

Amser maith ymlaen, ymhell bell i'r dyfodol, roedd planed fach yng nghornel bella'r bydysawd, planed fach las a melyn oedd yn troi'n araf ac yn bwyllog. Enw'r blaned oedd Zamon ac roedd pawb oedd yn byw yno yn hapus eu planed. Roedden nhw'n robotiaid bach bodlon a rhadlon, yn gwenu drwy'r amser, a doedd dim rhyfedd – roedd hi'n braf yno o hyd, roedd ffrwythau hyfryd yn tyfu ar bob coeden a llysiau iachus a blasus yn llenwi pob gardd. Roedd rhaeadrau o ddŵr glân, gloyw a sudd pob ffrwyth ar y blaned yn llifo ym mhob pentref ac roedd pob stryd a thŷ yn lân, lân. Oedd, roedd pawb ar y blaned Zamon yn hapus a dedwydd . . .

Pawb ond Ribidi Robot. Nawr, hen robot bach digon annymunol oedd Ribidi. Doedd 'na neb llawer yn ei hoffi ac roedd hynny'n anarferol dros ben ar y blaned Zamon achos roedd pawb yn hoffi . . . wel, pawb! Felly roedd peidio cael eich hoffi yno yn dipyn o gamp! Ond a bod yn deg, roedd Ribidi yn gas. Roedd o'n hen fwli ac yn ofnadwy o genfigennus o bawb. Allai o ddim stumogi gweld eraill yn llwyddo a doedd o byth, byth yn canmol neb, dim ond yn meddwl a dweud pethau cas. Hen snichyn annifyr oedd o, a dweud y gwir. Ac ar ben y cwbl, doedd o byth yn bwyta brecwast, byth yn bwyta llysiau na ffrwythau, byth yn ymolchi ac yn waeth byth, doedd o ERIOED wedi brwsio ei ddannedd. Ych a fi! Y cyfan roedd o'n ei wneud bob dydd oedd eistedd ar ei ben-ôl metel yn chwarae gêmau ymladd ar ei gyfrifiadur ac yn meddwl am ffyrdd o fod yn gas. Ei hoff dric oedd taflu dŵr dros bawb. Doedd o ddim yn meddwl dim am wastraffu dŵr a phan oedd rhywun yn pasio mi fyddai'n taflu dŵr oer drostyn nhw nes eu bod nhw'n wlyb socian am weddill y diwrnod.

Un diwrnod, tra oedd o'n taflu llond sosban o ddŵr dros ei robo-gath, mi glywodd sŵn mawr yn dod o'r tu allan ac fe welodd griw o Zamoniaid yn neidio mewn llawenydd ac yn methu cuddio'r ffaith eu bod nhw wedi cyffroi drwyddynt. Fe ofynnodd i Roli Robot (oedd yn hen robot bach iawn, gyda llaw),

'Oi! Be' sy'n mynd 'mlaen yn fama?'

'Ti'm 'di clywed?' gwenodd Roli. ''Nei di'm credu pwy sy'n dod i'r blaned Zamon heddiw i agor y Rhaeadr Mefus newydd!'

'Wel pwy bynnag ydi o, fydd o ddim mor gryf a phwerus â fi. Beth bynnag, pam *dwi'm* yn cael agor y rhaeadr? Fi 'di'r robot gorau yn y bydysawd – a gwae i unrhyw un sy'n anghytuno!' sgyrnygodd Ribidi rhwng ei ddannedd metel, pwdr.

'Achos bo' ti'n casáu dŵr a ffrwythau, ella?' meddai Roli'n ofalus.

'Be' 'sgin hynny i' neud hefo'r peth? Does dim rhaid i mi licio unrhyw beth . . . a wna i ddim chwaith . . . ond *fi* ddyla wneud popeth o bwys yn y lle 'ma. Dwi'n ffantastic!'

'Ffantastic o gas . . .' sibrydodd Roli dan ei wynt.

'Glywish i hynna!' gwaeddodd Ribidi gan ollwng ei ddwrn dur ar ben Roli nes bod hwnnw'n gweld sêr. 'Ty'd. Dwed wrtha i pwy sy'n dod.'

'Y chwaraewr rygbi rhyng-fydysawdol Dwayne Henson-Hook ap Carwyn!' meddai Roli â'i ben yn troi ond â'i ddwrn yn falch ar ei galon.

'Pah!' poerodd Ribidi (oedd, mi roedd o'n poeri hefyd!). 'Hwnnw? Taswn i 'di gallu fforddio'r sgidiau iawn, mi faswn i 'di gallu curo'r llipryn yna'n rhacs! 'Dach chi i gyd yn wirionach nag o'n i'n meddwl os 'dach chi'n mynd i'w weld o!'

Rhedodd Ribidi yn ôl i'w dŷ blêr gan strancio bob cam o'r ffordd. Pwy oedd y Dwayne Henson-Hook ap Carwyn 'ma'n meddwl oedd o yn ei lordio hi ar blaned Zamon? Hy! Doedd trigolion Zamon ddim yn gwybod pa mor lwcus oedden nhw i gael rhywun mor eithriadol o wych â Ribidi yn byw yn eu mysg. Byddai o'n dangos iddyn nhw *a'r* hen chwarewr rygbi dwy-a-dime 'na hefyd.

Pan gyrhaeddodd ei dŷ budr aeth i chwilio am bob bwced, jwg, tecell, sosban, bowlen, cwpan, UNRHYW BETH oedd yn dal dŵr. Roedd ganddo gynllun! A'r cynllun oedd rhoi'r cyfan yn ei roced rhacs ac aros nes bod Dwayne Henson-Hook ap

Carwyn ar fin gwneud ei araith ac yna taflu'r dŵr drosto a difetha diwrnod pawb.

Dechreuodd lenwi'r bwcedi ac ati gyda dŵr a gallai glywed y torfeydd y tu allan yn ymlwybro tuag at y rhaeadr gan weiddi enw Dwayne Henson-Hook ap Carwyn yn eu cyffro ac yn cario'u cyfrifiaduron bach yn eu dwylo er mwyn cael ei lofnod yn nes ymlaen. Roedd cenfigen yn llenwi Ribidi a dechreuodd wylltio cymaint nes bod ei weiars o'n berwi! Aeth ati'n gyflymach i wneud yn siŵr fod ganddo gymaint o ddŵr ag oedd yn bosibl ac nid jest dŵr y tap ond dŵr brown, seimllyd y sinc oedd yn llawn llestri budr, dŵr gwyrdd cymylog y blodau oedd wedi hen wywo, dŵr llwyd y cwteri oedd yn llawn pryfed a mwsog, a hyd yn oed ddŵr y tŷ bach oedd yn llawn . . . wel, does dim rhaid esbonio beth oedd yn hwnnw!

Roedd popeth yn barod ganddo a jest mewn pryd hefyd, achos gallai glywed roced ddrud, foethus Dwayne Henson-Hook ap Carwyn yn nesáu o'r Gorllewin ac yna sŵn y dorf yn chwyddo wrth i'w harwr sefyll ym mynedfa'r roced gan godi ei law ar ei ffans i gyd.

'Ha! Fydd neb yn y bydysawd wedi dy daclo di fel hyn o'r blaen, ap Carwyn!' gwaeddodd Ribidi. Roedd o *mor* ofnadwy o flin, roedd o'n hapus. Fel hyn roedd o'n mwynhau bod orau.

Felly, plygodd i godi'r bwced llawn dŵr o'r tŷ bach a cheisio godi . . . ond methodd. Triodd godi eto, ond na. Roedd Ribidi wedi plygu yn ei hanner, ei draed yn sownd i'r ddaear a'i drwyn o fewn modfedd i'r dŵr drewllyd. Doedd dim ots pa mor galed roedd o'n trio, fedrai o ddim symud yr un fodfedd, a pho fwya' roedd o'n chwysu, y gwaetha'r oedd o'n mynd. Beth ar y blaned oedd o am ei wneud? Doedd ganddo ddim ffrindiau, felly, doedd ganddo neb allai ei helpu . . . ac am y tro cyntaf erioed, dechreuodd grio. Nid crio am ei fod yn flin neu'n genfigennus neu am nad oedd o'n gallu cael ei ffordd ei hun, ond am ei fod o'n . . . drist. Doedd o rioed wedi teimlo tristwch o'r blaen. Roedd o'n teimlo'n od. Roedd ei galon fach fetel galed, oer yn brifo a doedd y dagrau 'ma ddim yn helpu o gwbl, dim ond yn ei wneud yn fwy stiff.

Doedd dim amdani. Roedd rhaid iddo weiddi am help. Ond pwy fyddai'n ei glywed yng nghanol yr holl sŵn y tu allan? A phwy fyddai eisiau ei helpu o, beth bynnag? Doedd o ddim wedi helpu neb erioed. Ond doedd ganddo ddim dewis.

'Help! Heeeeeeeeeelp!' gwaeddodd drosodd a throsodd nes bod ei lais yn gryg. 'O! Mae hyn yn amhosibl,' ebychodd drwy ei ddagrau, 'Fama fydda i am weddill fy oes. Bŵ hŵ . . !'

Ond, roedd Ribidi'n digwydd bod yn y lle anghywir ar yr adeg iawn. Pwy oedd yn pasio'r tŷ ar yr union funud honno ond Gruff Wyn y Gof. Roedd Gruff wedi ymfudo i Zamon o'r Ddaear ryw ganrif yn gynt . . . eisiau gweld ychydig ar y bydysawd, wedi cael swydd fach ar Zamon yn trwsio a gwerthu partiau ar gyfer rocedi ac wedi aros. Roedd o wrth ei fodd yno. Roedd o ar y ffordd i wneud yn siŵr bod roced ddrud a moethus Dwayne Henson-Hook ap Carwyn yn iawn ar gyfer ei drip 'nôl ac wedi aros i'r dorf glirio er mwyn iddo fo gael llonydd. Ond ar ei ffordd, fe glywodd sŵn dagrau'n disgyn ar fetel yn dod o'r cwt sinc mwyaf di-drefn a mochynnaidd a welodd erioed. Daliodd ei drwyn a dilynodd y sŵn. Pwysodd fotwm brown oedd yn hongian oddi ar y wal ac fe lithrodd drws ar agor gyda phwff o fwg. Cripiodd yn dawel i mewn i'r cwt gan faglu dros bob math o sbwriel nes gweld ffigwr metel wedi plygu yn ei hanner i mewn i bwced o rywbeth y gallai ei ogleuo o bell! Pŵŵŵŵ!

'Helô?' mentrodd Gruff, 'chi'n iawn? Alla i helpu?'

'O! Diolch byth!' udodd Ribidi. 'Plis helpwch fi. Dwi'm yn gallu symud modfedd.'

'Wel bachan, bachan. Ma' golwg arnot ti, druan. Co', 'sdim rhyfedd bo' ti'm yn gallu symud, ti 'di rhwdu'n rhacs.'

Edrychodd Gruff yn fanwl dros Ribidi o'i gorun i'w sawdl ac yn ystod ei holl flynyddoedd ar y blaned, doedd o erioed wedi gweld y fath olwg ar robot erioed. Roedd hi'n amlwg nad oedd hwn yn cymryd gofal ohono fo'i hun ac nad oedd ganddo unrhyw barch tuag ato'i hun nag at neb arall.

'Hm. Ti'n dipyn o jobyn, boi. Well i ti ddod gartre 'da fi i fi ga'l rhoi polish go dda i ti,' dywedodd Gruff Wyn. Rhoddodd Ribidi ar ei ochr ar lawr a'i rolio 'nôl i'w weithdy gyda Ribidi'n gwingo bob cam o'r ffordd.

Ar ôl cyrraedd, aeth Gruff ati i'w archwilio'n fanwl.

'O diar. 'So ti rio'd wedi brwsio dy ddannedd, ma' hynny'n

amlwg. Jiw, ti'n drewi 'chan! A 'smo ti'n bwyta'r pethe iawn 'fyd. Ma' dy du fiwn di'n un annibendod mawr o weiars a sbwriel. A ma'r holl ddŵr ti 'di bod yn 'i daflu dros bawb wedi pydru pob modfedd o dy fetel di. 'Na beth sy'n dod o fod yn gas, twel.'

'Wi'n gwbod a wi'n sori,' ochneidiodd Ribidi.

''Sdim isie i ti ddweud sori wrtha i. Gwed ti sori wrthot ti dy hunan. Ti sy 'di godde waetha o fihafio fel hyn. Dere, i fi gael rhoi 'bach o siâp arnot ti,' meddai Gruff Wyn gan ysgwyd ei ben.

Cydiodd mewn pelen fawr o wlân metel a sgrwbio Ribidi'n galed er mwyn cael gwared â phob smotyn o rwd. Yna roddodd oel yn ei gymalau i gyd a gallai Ribidi deimlo'r rhyddhad yn syth. Yna, tynnodd Gruff Wyn ddannedd Ribidi i gyd gyda phleiars arbennig a gweithio rhai newydd

sbon iddo o fetel gloyw lliw arian. Fe lanhaodd ei du mewn gyda gwlân cotwm ac eli lafant, ac o fewn dim roedd Ribidi'n teimlo fel robot newydd sbon. Edrychodd arno'i hun yn y drych ac yn wir, doedd o ddim yn ei adnabod ei hun.

'O! Gruff Wyn bach! Sut fedra i ddiolch i ti?' meddai'n llawn emosiwn.

'Gei di ddiolch i fi drwy droi dalen lân, Ribidi Robot. Edrycha di ar ôl dy hunan yn iawn, cer gartre i lanhau'r tŷ 'na sy' 'da ti ond, yn bwysicach na dim, stopa bod yn gas a bydd yn neis 'da pawb. 'Smo nhw 'di neud dim i ti a'r unig un wyt ti'n rhoi dolur iddo fe trwy fihafio fel ti 'di bod yn 'i wneud yw ti dy hunan. A heddi wi'n gobitho byddi di wedi dysgu dy wers.'

Wel, dyna bregeth gan Gruff Wyn! Doedd neb wedi mentro rhoi Ribidi yn ei le o'r blaen, rhag ofn iddyn nhw gael sôcad! Ond roedd heddiw'n wahanol a doedd neb yn gwybod hynny'n fwy na Ribidi Robot.

Erbyn hyn, mae Ribidi'n byw mewn steil a hyd yn oed wedi cael swydd yn glanhau tai robots eraill! Mae'n lân ac yn iach ac mae ganddo lu o ffrindiau. Dydi o ddim wedi rhydu wedyn am ei fod o'n gwneud yn siŵr ei fod yn cael bath oel bob bore, mae'n bwyta'r bwydydd iachaf ac yn yfed o'r rhaeadrau sudd, ac yn brwsio'i dannedd gloyw gyda brws weiars bob bore a nos. Mae o wedi sylweddoli fod bod yn gwrtais, yn garedig ac yn gariadus gyda phawb yn deimlad braf a bod cael pawb i'w hoffi yn ôl yn werth y bydysawd. Ac mae'n hapus. A dweud y gwir, mae o wedi mopio ar y teimlad o fod yn hapus ac fel pawb arall ar y blaned Zamon, mae ganndo wên ar ei wyneb drwy'r amser . . .

A gyda llaw, yr wythnos nesaf mae o a'i ffrind gorau Gruff Wyn yn mynd am drip i'r Ddaear i Stadiwm yr Ail Fileniwm i weld eu harwr, Dwayne Henson-Hook ap Carwyn, yn chwarae dros ei blaned!

Goleuadau Santa

Roedd hi'n noswyl Nadolig rewllyd ac oer

Ac roedd cysgod o eira yn cuddio'r lloer,

Roedd rhew ar y lonydd a brigau'r coed –

Y noswyl Nadolig oera' erioed.

Ond yn Heol Tŷ Draw mi roedd Mari yn glyd

Yn ei gwely bach esmwyth, yn gyffro i gyd.

Roedd ei hosan yn hongian ar waelod ei gwely

A Mari yn ysu am weld bore fory.

Roedd hi wedi anfon ei rhestr ers tro

Ac wedi bihafio drwy'r flwyddyn. O do!

A chwarae teg roedd hi'n haeddu llond sach

O deganau gan Santa'n y bore bach.

Ac ym Mhegwn y Gogledd (lle mae'n oer o hyd)

Roedd Santa yn barod i wibio drwy'r byd

I rannu llawenydd i bob plentyn da,

Ac felly cychwynnodd drwy'r eira a'r iâ.

Fe rasiodd y ceirw drwy'r gwledydd i gyd,

Drwy bob dinas a thref a phob pentref a stryd,

A Santa'n straffaglio 'mhob simdde ar ei daith

A'r mins peis yn ei fola yn gwneud pethau'n waeth!

Fe wiriodd pob rhestr a rhoi ym mhob tŷ

Anrhegion a losin a theganau di-ri,

Ac yna gofynnodd i'r ceirw ei yrru

I wlad fach brydferth o'r enw Cymru.

Fe alwodd ym mhob un tŷ yn y De,

Y Gorllewin a'r Canol a'r Gogs yndê!

Ac ar ôl ei dŷ olaf mewn stryd yng Nghwmbrân.

Fe drodd am adre wedi blino'n lân.

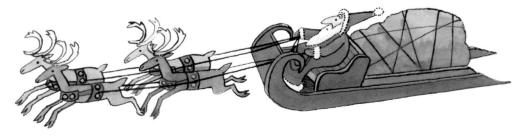

Ond ar ei ffordd 'nôl i'r Pegwn, tra'n hedfan

Dros lyn mawr Loch Ness i fyny'n yr Alban,

Fe roddodd ei law yn ei boced a theimlo

Rhyw belen o bapur yn crafu ei ddwylo.

Fe ddaliodd y papur yn dynn yn ei law . . .

A gweld arno'r geiriau 'Heol Tŷ Draw'!

Aeth calon 'rhen Santa yn syth i'w wddw

A gwaeddodd yn uchel ar bob un o'r ceirw,

'Hei hogia! Mae'n rhaid i ni droi yn ein holau.'

'Rhy hwyr, ma'r byd wedi diffodd y golau!'

Dywedodd y ceirw, ro'n nhw'n llygaid eu lle!

Doedd dim golau mewn dinas na phentre na thre'.

'Mae'n rhaid cael tywyllwch ar noswyl Nadolig

Am fod pawb mor gyffrous ar ddydd mor arbennig.

Os oes golau yn rhywle, ry'n ni wedi dysgu

Nad oes gobaith i'r plantos bach fynd i gysgu.'

'Ond mae'n *rhaid* 'ni droi 'nôl!' meddai Santa'n anfodlon,

'Mae'n rhaid i Mari gael ei hanrhegion!

Oes rhywun yn rhywle yn gwybod sut gawn ni

Olau i'n harwain i gartre Mari?'

Ac yn sydyn o rywle fe ddaeth un golau bach

Yn nes at y sled gan setlo ar y sach,

Edrychodd Santa yn dawel a syn,

A rhyfeddu at lewyrch y golau bach gwyn.

Ac allan o'r golau daeth tylwythen fach deg

Gyda winc yn ei llygaid a gwên ar ei cheg,

Ac meddai wrth Santa, 'Fe glywson ni

Ryw elfen o ofid yn eich cri.'

Fe deithiodd eich problem yn glou ar y naw

A chyrraedd ein swyddfa yn Heol Tŷ Draw.

Os taw gole chi isie, wel dewch 'da fi,

Ma'r merched yn barod i'ch helpu chi!'

Roedd Santa yn gegrwth ond ar adegau fel hyn
Fe gytunai i *rywbeth* – hyd 'noed golau bach gwyn!
A dilynodd y smotyn bach disglair drwy'r nos
Dros fynydd a dyffryn a gwaun a rhos.

Ac yna fe welodd olygfa hudol,
Anghredadwy, anhygoel, ragorol,
Roedd y tylwyth teg uwchben y stryd
Yn gadwyn o olau, lathenni o hyd.

Pob un yn dal dwylo ac yn hofran fry
Ar draws y stryd rhwng toeau pob tŷ,
Rhaffau o olau'n disgleirio ar bob llaw
A'r ffordd yn glir i Heol Tŷ Draw.

A gadawodd Santa'r anrhegion i Mari
A chymrodd seibiant cyn gadael Cymru
I ddiolch i'r tylwyth teg am eu golau
A dymuno iddynt y Nadolig gorau.

Ac ers y noswyl pan oedd Heol Tŷ Draw

Wedi'i goleuo a thylwyth teg ar bob llaw,

Fe welwch chi oleuadau 'mhob stryd

Ar ŵyl y Nadolig drwy'r byd i gyd!